Das familiäre Erbe prägte Elisabeth Mann Borgese, ohne sie zu lähmen. Die jüngste Tochter von Thomas Mann hat früh ihren Weg aus dem Schatten ihres geliebten Vaters gefunden. Sie ist ausgebildete Konzertpianistin, arbeitete jedoch als Politologin an mehreren wissenschaftlichen Instituten, seit 1980 – ohne je studiert zu haben – als Professorin an der politischen Fakultät der Universität von Halifax, Kanada. Sie veröffentlichte mehrere Bücher und zog zwei Töchter groß. Als engagierte Meeresschützerin hat sie internationale Anerkennung und Berühmtheit erworben

»›Sie war erwünscht und willkommen auf dieser Welt, geliebt von Anfang an, mehr als die vier anderen zusammengenommen‹, schreibt Thomas Mann an Elisabeths Paten Bertram. Dieses Gefühl der unbedingten Zuneigung trägt die Tochter ein ganzes Leben lang durch viele Gefahren und schwere Stunden auf der weiten Reise über die Kontinente. Sie war das einzige der Mann-Kinder, das mit der Familie versöhnt war.«

Heinrich Breloer in seinem Nachruf
auf Elisabeth Mann Borgese, die am 8. Februar 2002 starb.

Kerstin Holzer, Jahrgang 1967, studierte Politikwissenschaften und Germanistik. Sie arbeitet als Journalistin bei ›Focus‹ und lebt in München.

Kerstin Holzer

Elisabeth Mann Borgese

Ein Lebensportrait

Fischer Taschenbuch Verlag

3. Auflage: Juli 2003

Ungekürzte Ausgabe
Veröffentlicht im Fischer Taschenbuch Verlag,
einem Unternehmen der S. Fischer Verlags GmbH,
Frankfurt am Main, März 2003

Lizenzausgabe mit freundlicher Genehmigung
des Kindler Verlages, Berlin

Druck und Bindung: Clausen & Bosse, Leck
Printed in Germany
ISBN 3-596-15725-0

»Überall ist alles anders« – ein Vorwort

Wenn die große, altmodische Pendeluhr an der Wand des Wohnzimmers sechs Uhr schlägt, hört man auf dem Holzdielenboden des oberen Stockwerkes Schritte knarren. Vielleicht waren kurz zuvor noch Klaviertöne erklungen, Bach oder ein Stück von Schubert, die nun verstummt sind. Dann dauert es nicht mehr lange, bis die Dame mit den kurzgeschnittenen, grauen Haaren die Treppe hinuntersteigt, zu einer niedrigen Vitrine geht, etwas Whiskey in ein geschliffenes Gläschen schenkt und sich damit auf einen der niedrigen Sessel setzt, die rund um einen hellen Holztisch gruppiert sind. Durch die große Glasfront sieht sie über die verwitterte Veranda auf die fjordartige Bucht, an deren Rand ihr Haus mit dem bis zum Boden gezogenen Spitzdach steht. Von hier reicht der Blick sehr weit hinaus über das Meer, und wenn man die Verandatür öffnet, riecht die Luft rauh, nach salzigen Tauen.

So beginnt Elisabeth Mann Borgese jeden Abend. Sie hängt an diesen Riten, wie sie an der Uhr hängt, einem Erbstück der Eltern, das diese in Amerika gekauft und mit ins letzte Heim nach Kilchberg genommen hatten, bevor es nun seinen Platz in dem alten Holzhaus an der kanadischen Atlantikküste fand. Genauso wie der Bechstein-Flügel im bibliothekartigen Raum im Untergeschoß, ein

Hochzeitsgeschenk von den Eltern, wie die Reste des weißen Familiengeschirrs mit Goldrand, der silberne Handspiegel der Mutter. Recht viel mehr Erinnerungsstücke finden sich nicht. Die Bücher mit den persönlichen Widmungen des Vaters sind irgendwo bei einem der zahlreichen Umzüge abhanden gekommen. Sie braucht sie nicht. Sie lebt in der Gegenwart.

»In Deutschland weiß eigentlich niemand, daß es mich gibt«, sagte Elisabeth Mann Borgese einmal, und es schien sie nicht zu bekümmern. Die jüngste Tochter von Thomas Mann hat früh ihren Weg aus dem Schatten des großen Vaters gefunden. Sie ist ausgebildete Konzertpianistin, hat diesen Beruf aber nie ausgeübt. Sie arbeitete als Politologin an mehreren wissenschaftlichen Instituten, seit 1980, ohne je studiert zu haben, als Professorin an der politischen Fakultät einer kanadischen Universität. Sie schrieb Bücher mit Essays und Aufsätzen, Novellen und Theaterstücke und zog außerdem zwei Töchter groß. 1970 war sie einziges weibliches Gründungsmitglied des Club of Rome, maßgeblich an der UN-Seerechtskonvention von 1982 beteiligt, gründete das Internationale Ozean-Institut auf Malta und betrachtet den Schutz der Weltmeere als ihre Lebensaufgabe. Von sich selbst behauptet sie, immer »sehr scheu« gewesen zu sein.

In Elisabeths Leben gingen privates Schicksal und Zeitgeschichte Hand in Hand. Aufgewachsen im großbürgerlichen Münchener Haus der Eltern, hemmten sie die flirrend eloquenten Auftritte von Vater Thomas, des irisierenden Geschwisterpaars Klaus und Erika und zahlreicher prominenter Gäste, die das junge Mädchen zugleich faszinierten und prägten. Als »Lieblingstochter« Thomas Manns, als geliebtes »Kindchen« und »Medi« in die Literaturgeschichte eingegangen, emigrierte sie mit den Eltern 1933 in die Schweiz, später in die USA. Dort heiratete sie den antifaschistischen Historiker Giuseppe Antonio Borgese und kehrte mit ihm, als McCarthy die Atmosphäre in Amerika vergiftete, zurück nach

Elisabeth Mann Borgese an der kanadischen Atlantikküste

Europa. Tatsächlich scheint sie das einzige der sechs Mann-Kinder zu sein, das von sich sagen kann, ein »glückliches Leben« geführt zu haben, was immer das bedeuten mag.

Ein Übermaß an Talent wie Tragödie hat diese deutsche Schriftstellerfamilie stets begleitet. Warum blieb ausgerechnet Elisabeth von der Mannschen Zerrissenheit zwischen Begabung und Labilität verschont? Als einzige hat sie es geschafft, sich ein Leben außerhalb des Bannkreises des »Zauberers« aufzubauen. Das familiäre Erbe prägte sie, ohne sie zu lähmen. Der öffentlichen Meinung, die Mann-Kinder hätten unter der Kälte und intellektuellen Selbstbezogenheit des Vaters gelitten, ist Elisabeth allerdings stets entgegengetreten. Sie liebte ihren Vater genauso, wie sie die vitale und praktisch veranlagte Mutter liebte. Und es scheint das Vermächtnis Katias zu sein, der willensstarken und hochintelligenten Ehefrau Thomas Manns, das Elisabeth vor schmerzhaft gefährlicher

Selbstbespiegelung bewahrte. Nie verharrte sie in bitterer Rückschau, sie streifte die Vergangenheit einfach ab. »Überall ist alles anders«, gab sie einem Freund einmal mit auf den Weg – das verwirrt nur denjenigen, der nicht in sich selbst ruht.

Die internationale Anerkennung und Berühmtheit, die Elisabeth Mann Borgese sich als engagierte Meeresschützerin erworben hat, kam ohne jeden Zusammenhang mit dem glanzvollen Namen des Vaters zustande. Ihre Lebensgeschichte selbst aufzuschreiben wäre ihr nie in den Sinn gekommen. Im Gegensatz zu vielen ihrer Familienmitglieder hat sie nicht einmal Tagebuch geführt, Notizen gesammelt oder ein geordnetes Archiv ihrer persönlichen Korrespondenz aufgebaut.

So beruht dieses Buch in weiten Teilen auf Elisabeths Erinnerungen, während langer Gespräche auf Band gesprochen oder in Unterhaltungen eingeflossen, Erinnerungen, die so subjektiv sind, wie es der Blick auf das eigene Leben zwangsläufig sein muß. Und so zeichnen Elisabeths Berichte nicht nur ein Lebensportrait ihrer selbst, sondern auch ein besonderes Bild jener *»amazing family«*, jenen Manns, die man durch viele Publikationen zu kennen glaubt und die doch geheimnisvoll geblieben sind. Für diesen Zugang, für ihre offenen Erzählungen und die persönlichen Gespräche möchte ich ihr danken.

Elisabeth Mann Borgese starb im Februar 2002 im Alter von 83 Jahren während eines Skiurlaubs in St. Moritz. Der vorliegende Text erschien erstmals ein halbes Jahr vor ihrem Tod. So erklärt sich, daß die Portraitierte im Präsens erzählt. Um die Unmittelbarkeit und Lebendigkeit der Erinnerungen von Elisabeth Mann Borgese zu erhalten, wurde dies auch in dieser aktualisierten Ausgabe nicht geändert.

Kerstin Holzer, im April 2002

I Kindheit im Haus des Zauberers

Sie war sein fünftes Kind, und er empfing sie hymnisch. »Letztgeborenes du und Erstgeborenes dennoch«, huldigte Thomas Mann der kleinen Elisabeth in der 1919 erschienenen Hexameterdichtung »Gesang vom Kindchen«. Es war das erste Werk, in dem er seiner jüngsten Tochter ein literarisches Denkmal setzte: als der Favoritin seines Herzens. Und Lieblingstochter sollte das »Kindchen« bleiben. Sie war willkommen, erwünscht, geliebt, ohne sich diese Zuneigung durch mehr verdienen zu müssen als dadurch, daß sie da war.

Elisabeth Veronika Mann kam am 24. April 1918 in der Münchener Frauenklinik zur Welt. Es war das Revolutionsjahr, der erste Weltkrieg endete, Kaiser Wilhelm II. dankte ab, die deutsche Republik wurde ausgerufen. Es war ein Jahr des Bruchs und Wandels, und zeitgeschichtlicher Wandel sollte ihre Geschichte auch später begleiten.

Für ihren Vater war es »Liebe auf den ersten Blick«, »ein Gefühl, das ungekannt, unerwartet und unerhofft ... von ihm Besitz ergriff ...«[1]. So in Manns stark autobiographisch gefärbter Erzählung »Unordnung und frühes Leid« der Geschichtsprofessor Abel Cornelius über seine Jüngste Lorchen, die Elisabeths zweite literarische Verewigung war. Genauso erging es dem emotional sonst eher spröden Autor: Obwohl Thomas Mann bereits seit dreizehn Jahren Vater war, muß die Geburt Elisabeths für ihn eine völlig neue und frappierende Erfahrung gewesen sein, und wie viele egozentrische Menschen schien ihn die Intensität seines eigenen Gefühls dabei durchaus selbst zu rühren. Die Blitzartigkeit und Ausschließlichkeit seiner neuen Leidenschaft jedenfalls verbuchte er mit unverkennbarem Stolz. »Vom ersten Augenblick an« habe ihn Zärtlichkeit für sein fünftes Kind überwältigt, notierte er im Tagebuch[2], in dem er jede Ohrenentzündung, jedes Lächeln, jeden Sprechversuch des Babys festhielt. »Für keins der früheren Kinder« habe er »so empfunden wie für dieses«, berichtete er in einem Brief[3], in einem anderen ließ er sich gar zum Bekenntnis hinreißen, daß er die Kleine »vom ersten Tage an mehr liebte als die anderen vier zusammengenommen«. Und mit nur wenig schlechtem Gewissen seinen älteren Kindern gegenüber fuhr er fort: »Ich weiß nicht, warum.«[4]

Waren es ihre Augen, die »damals himmelblau waren und den hellen Tag widerstrahlten«[5]? Wurde der häufig als kaltes Genie geltende Dichter, wie er selbst brieflich spekulierte, nun, mit 43, doch »allgemein gemütvoller mit den Jahren«?[6] Oder flüchtete er sich vor der Härte des im Umsturz befindlichen Deutschland ins Gefühlige, so wie sich sein Alter ego Professor Cornelius vor den Schwierigkeiten des inflationserschütterten, moralisch zerrütteten Landes und den »Frechheiten der Zeit« in die Liebe zu seinem Töchterchen Lorchen »gerettet«[7] hatte? Es wird wohl von allem etwas gewesen sein.

Demgegenüber dürfte sich die Begeisterung Katia Manns über die Ankunft eines fünften Kindes anfangs eher in Grenzen gehalten haben. Nicht nur, weil sie, wie die Achtzigjährige in ihren »Ungeschriebenen Memoiren« ganz unverblümt zugab, ohnehin »immer verärgert« war, wenn sie ein Mädchen bekam.[8] Sie hatte es

Katia Mann mit den Kindern Monika, Golo, Michael, Klaus, Elisabeth und Erika (von links nach rechts)

schon mit vier hungrigen Kindern während des Krieges nicht leicht gehabt, vor allem im Kohlrübenwinter 1916/17, und mußte auch als Frau eines angesehenen Schriftstellers per Fahrrad ganz München abfahren, um den Lebensmittelbestand und die Kohlevorräte im Hause Mann aufzubessern. Die Heizung fiel aus, aufs Brot kam Kunsthonig. Aber Thomas Manns einstige »Märchenbraut«[9] mit dem eisernen Willen war vital und eine leidenschaftliche Mutter. Auf diese Weise hielt sie, wie Elisabeth sich erinnert, die Familie zusammen. So entschieden wie ihr Mann hätte sie deshalb auch nie eines ihrer sechs Kinder bevorzugt. »Jeder ist ein Liebling auf seine Art«, pflegte sie zu sagen, so Elisabeth. Viel später sagte die Mutter der längst Erwachsenen aber auch, sie sei das einzige ihrer Kinder, vor dessen Empfindlichkeit sie sich nicht fürchte. Deshalb stand Elisabeth ihrer Mutter besonders nahe, und des Vaters vorbehaltlose Liebe war ihr gewiß.

Die Eltern

Elisabeth wuchs in einem herrschaftlichen Umfeld auf. Zeitbedingter und zeitweiser Entbehrungen zum Trotz lebte man auf großem Fuß. Anfang 1914, kurz vor Ausbruch des Ersten Weltkrieges, hatte man eine große Villa im vornehmen Münchener Herzogpark am Ufer der Isar bezogen, die Thomas Mann vom Architekten Ludwig hatte bauen lassen. Die »Poschi«, so genannt nach der Adresse Poschingerstraße 1, blieb bis zur Emigration 1933 die Heimat der Familie und Inbegriff des geliebten Zuhauses. Das repräsentative Anwesen mit drei Etagen, elegantem Erker und Veranda war ein Kinderparadies: Hinter dem Haus lag ein riesiger Garten, vor der Tür die grüne Fläche des Herzogparks. Die »Poschi« bot genug Platz, um sechs Kinder – Erika, Klaus, Golo, Monika, Elisabeth, Michael – zu beherbergen, ferner ein Kindermädchen, ein Hausmädchen, eine Köchin, später eine weitere Hilfe und einen Chauffeur[10]. »Wir sind halt sehr fein. Es ist nun mal so«, befand Katia Mann viele Jahre später.[11]

Die bürgerlich-konventionelle Lebensform, »ein symbolisches, ein repräsentatives Dasein ähnlich einem Fürsten«[12], entsprach auch Thomas Manns Vorstellung vom »strengen Glück«, denn das Repräsentieren war eines seiner entscheidenden Lebensmotive.[13] Sein Bedürfnis nach Selbststilisierung, nach Inszenierung des eigenen Lebens als Kunstwerk[14] erforderte eine stattliche Familie und materiellen Wohlstand. Beides schuf er sich.

Das Münchner Haus in der Poschingerstraße 1

Als Sohn des norddeutschen Kaufmanns und Senators des Stadtstaates Lübeck Heinrich Mann kannte Thomas, geboren 1875, die gesellschaftliche Geborgenheit eines angesehenen Patrizierhauses. Seine Mutter Julia, geborene da Silva-Bruhns, brachte ein exotisches Moment in seine Herkunft. Die Tochter eines deutschen Plantagenbesitzers und einer Brasilianerin war erst mit sieben Jahren nach Lübeck gebracht worden: Ihr schrieb Thomas Mann die »künstlerisch-sinnliche Richtung«[15] seiner Anlagen zu, die mit der ganz auf Pflicht und Form gerichteten Bürgerlichkeit in ihm im Konflikt lag. Obgleich ein durchschnittlicher Schüler, der das Gymnasium nur mit mittlerer Reife verlassen hatte, schien seine Zukunft vielversprechend. Wie sein Bruder Heinrich wollte er Schriftsteller werden – ein Bruch mit der Welt der Väter? Gewiß, doch dem Los des brotlosen Künstlers entging er bekanntlich. 1901, er war schon in München, gelang ihm mit seinem Erstlingsroman

»Buddenbrooks« auf Anhieb der große Wurf. Er war fünfundzwanzig Jahre alt und hatte eines der großen Werke der Weltliteratur geschrieben.

Novellenveröffentlichungen, vor allem »Tonio Kröger«, festigten seinen Ruhm und den Eindruck, hier habe jemand eine bedeutende Zukunft vor sich.

Er verkehrte in der Schwabinger Boheme, suchte aber zugleich, sich »eine Verfassung« zu geben.[16] Dazu gehörten eine klar sichtbare gesellschaftliche Stellung und die Einführung in die bekannten Salons der Stadt; dazu gehörte indessen auch, da das Leben, ebenso wie die Kunst, immer einer Form bedurfte, die Ehe. In seinem Aufsatz »Die Ehe im Übergang« schrieb er zwanzig Jahre nach seiner Heirat: »Hegel hat gesagt, der sittlichste Weg zur Ehe sei der, bei dem zuerst der Entschluß zur Verehelichung stehe und dieser dann schließlich die Neigung zur Folge habe, so daß bei der Verheiratung beides vereinigt sei. Ich habe das mit Vergnügen gelesen, denn es war mein Fall.«[17]

Seine Wahl fiel auf Katia Pringsheim, die aus einer der besten Familien Münchens stammte. Ihr Vater, Geheimrat Alfred Pringsheim, lehrte an der Universität Mathematik und residierte in einem Neorenaissance-Palais in der Arcisstraße, das in einer Zeit, da dergleichen in der Stadt noch eine Seltenheit war, schon über Telefon und elektrisches Licht verfügte. Er war ein Multimillionär, Kunstmäzen und begeisterter Wagnerianer wie Thomas Mann auch, was dessen Werbung um das Fräulein Pringsheim sichtlich beförderte. Man machte »ein ziemliches Haus«[18], und Katias Mutter Hedwig, eine schöne und geistreiche Tochter der Frauenrechtlerin Hedwig Dohm, gestaltete es zu einem gesellschaftlichen Mittelpunkt der Residenzstadt. Im Salon der Pringsheims, der mit Gobelins und Gemälden so opulent ausgestattet war wie ein Museum, verkehrten Maler wie Kaulbach und Lenbach, der Komponist Richard Strauss sowie etliche Literaten. Elisabeth erzählt denn auch, daß das Standesbewußtsein der charmanten, aber schwierigen Großmutter den einen oder anderen hoffnungsvollen jungen Besucher ihres »Jour« schwer entmutigt haben muß. Versuchen, durch interessante Konversationsthemen zu bestechen, entgegnete Frau Pringsheim mit einem durchbohrenden Blick durch ihre Lorgnette und zwei stets wirkungsvollen Kommentaren: »Das habe ich schon gehört«, oder: »Das habe ich ja noch nie gehört.« Beides war gleich vernichtend.

Katia, geboren 1883 als einzige Tochter neben vier Brüdern, erhielt eine für die damalige Zeit ungewöhnlich gute Ausbildung. Da es keine Mädchengymnasien gab, kamen die Lehrer zum Privatunterricht ins Haus Pringsheim, und so absolvierte Katia mit nur siebzehn Jahren extern und als erste Münchnerin ihr Abitur, um dann bei ihrem Vater Mathematik und bei Wilhelm Röntgen Experimentalphysik zu studieren. Sie war klug, temperamentvoll, selbstbewußt, von schneller Zunge und sah aus wie eine »morgenländische Prinzessin«[19]. Auf Bildern der Zwanzigjährigen fallen in dem aparten Gesicht ausdrucksvolle schwarze Augen auf, deren »dunkle, fließende Sprache«[20], so Thomas Mann, von großem Zauber war.

Mit der brüderlichen Entourage besuchte Katia Gesellschaften und Konzerte, und auch Thomas wußte, wer dieses Mädchen war, das er bei Musikveranstaltungen schon häufig beobachtet hatte – aus der Ferne. Eines Tages dann konnte er auf der Straße einen Eindruck ihres Temperaments gewinnen. Katia nämlich fuhr mit derselben Trambahnlinie wie er ins Kolleg und geriet dabei einmal mit einem Kontrolleur in Streit, der ihr Billet sehen wollte. In ihren Erinnerungen schildert sie die Szene: »Ich sag: Ich steig hier grad aus. Ihr Billet muß i ham! Ich sag: Ich sag Ihnen doch, daß ich aussteige. Ich hab's eben weggeworfen, weil ich hier aussteige. Ich muß das Billet –. Ihr Billet, hab ich gesagt! Jetzt lassen Sie mich schon in Ruh! Sagte ich und sprang wütend hinunter. Da rief er mir nach: Mach, daß d'weiterkimmst, du Furie! Das hat meinen Mann so entzückt, daß er gesagt hat, schon immer wollte ich sie kennenlernen, jetzt muß es sein.«[21]

Kurz darauf plazierte eine gern ehestiftende Bekannte, von Thomas Mann um Vermittlung gebeten, den Schriftsteller bei einem Abendessen neben Katia. Man plauderte und lernte sich kennen, weitere Einladungen folgten, und bald durfte der Autor der »Buddenbrooks« bei Pringsheims vorstellig werden.

Thomas Mann war entzückt. Die glanzvolle Verbindung von Geist und Geld begeisterte ihn. »Pringsheims sind ein Erlebnis«, schrieb er seinem Bruder Heinrich, »der Vater Universitätsprofessor mit goldener Cigarettendose, die Mutter eine Lenbach-Schönheit …« Bei soviel Exklusivität spielte die jüdische Herkunft der Familie, die er an sich für durchaus erwähnenswert hielt, keine Rolle mehr. Und Katia, die Tochter? »Ein Wunder, etwas unbeschreiblich Seltenes und Kostbares, ein Geschöpf, das durch sein bloßes Dasein die kulturelle Thätigkeit von 15 Schriftstellern oder 30 Malern aufwiegt.«[22] Man traf sich auf Gesellschaften, man nahm den Tee miteinander. Zunächst allerdings zeigte sich Katia, wie sie in ihrer Autobiographie berichtet, nicht sonderlich beeindruckt. Sie studierte, spielte Tennis, führte mit ihren vier Brüdern ein unbeschwertes Leben und sah partout nicht ein, weshalb sie heiraten sollte, und dann auch noch ausgerechnet jenen ernsten Neunundzwanzigjährigen mit dem akkuraten Schnurrbart, dessen Bläßlichkeit und Überkorrektheit ihm unter den Brüdern Pringsheim den bösen Spitznamen vom »leberleidenden Rittmeister«[23] eingetragen hatte. Doch Thomas war hartnäckig, und das führte am Ende zum Ziel. Die Heirat fand am 11. Februar 1905 statt. Ein Großteil des königlich-preußischen Hochzeitsgeschirrs, weißes Porzellan mit zierlichen goldenen Ornamenten, steht heute, bald hundert Jahre alt, in Elisabeths Schrank.

Gern betonen Thomas-Mann-Biographen die Vernunftorientiertheit bei der Brautwahl und bezweifeln, daß Thomas sich wahrhaftig verliebt habe[24]: Es sei vor allem Katias kultureller und finanzieller Hintergrund gewesen, der sein Herz höher schlagen ließ. Und hatte der Autor des »Tod in Venedig« nicht zeitlebens homoerotische Neigungen verdrängt, das Stigma der Päderastie gefürchtet? Hatte er nicht in den Tagebüchern seine nicht ausgelebte Verführbarkeit gestanden? Hermann Kurzke geht in seiner Biographie soweit, die Abwehr der Homosexualität als das eigentliche Motiv der Eheschließung zu bezeichnen.[25] Der (unerfüllten) Leidenschaft zum Jugendfreund Paul Ehrenberg, einem Schwabinger Kunstmaler, entsagend, habe sich Mann entschlossen, von jetzt an ein bürgerliches Leben zu führen – eben sich eine Verfassung zu geben.

Die homosexuelle Anlage Thomas Manns, Selbstverräterisches in Werk und vor allem Tagebüchern, gilt vielen Forschern von jeher als der psychologische Schlüssel zu seinem Leben und zu seinen Büchern. Und natürlich gibt es solche Hinweise, auch wenn, was ebenso natürlich scheint, ein Lieblingskind wie Elisabeth diesen Aspekt in der Annäherung an ihren Vater immer überbetont gefunden hat: »Das war ihm eine Frage der Ästhetik. Er hat alles künstlerisch sublimiert.« Daß das Wohlgefallen ihres »Herrn Papa«, wie Elisabeth den Vater heute noch oft nennt, an jungen Männern auch den Kindern nicht verborgen blieb und sogar Gegenstand neckischen Familienspotts war, bestätigt sie allerdings trotzdem. Und dennoch: Ihre Mutter sei für Thomas Mann die »große Liebe und der wichtigste Mensch in seinem Leben« gewesen.

Tatsächlich gibt es mehr Anhaltspunkte, die Beziehung für eine glückliche zu halten, als man gemeinhin glaubt. Nicht alles war bürgerlicher Fassadenbau, und die erste Tochter Erika berichtete denn auch, ihre Eltern hätten sich während der über fünfzig Jahre ihres gemeinsamen Lebens nicht einen Augenblick miteinander gelangweilt.[26] Freilich war die Ehe problematisch. Aber unproblematische Verbindungen sind bei genauerem Hinsehen ohnehin nicht zu finden, jedenfalls nicht bei hochgradig komplizierten Charakteren wie Thomas Mann.

Mit intuitiver Sicherheit erkannte er in Katia die für ihn ideale Frau, die dem Intellektuellen die sehnlich erwünschte Handreichung mit dem »Leben« verhieß: Nur sie, glaubte er, konnte seine schwebende Künstlerexistenz auf die Erde holen. Kaum jemanden duzte er, niemandem teilte er sich wirklich mit, er brauchte die Einsamkeit – und litt unter ihr. Und nicht anders als seine Novellenfigur Tonio Kröger, der Bürger auf Abwegen, der die »Blonden« und »Blauäugigen« als Symbol des Lebens liebt und doch auf sie herabblickt, hatte auch Mann, wo er liebte, »bislang immer verachtet«, wie er im August 1904 an Katia schrieb. »Die Mischung aus Sehnsucht und Verachtung, die ironische Liebe war mein eigentlichstes Gefühlsgebiet gewesen.« In Katia sah er das »Leben« ohne Banalität, das »Leben« gleichsam mit geistiger Geschwisterschaft. Und wenn man die Briefe aus der Zeit der Werbung auch für steif halten mag, den Ton verzweifelter Ehrlichkeit, den Appell eines »Siehst du nicht ... erkennst du nicht?« an die damals noch Zögernde kann man kaum überhören. »Sie wissen«, schrieb er im Juni 1904, »welch kaltes, verarmtes, rein darstellerisches, rein repräsentatives Dasein ich Jahre lang geführt habe; wissen, daß ich mich Jahre, wichtige Jahre lang als Menschen für nichts geachtet und nur als Künstler habe in Betracht kommen wollen ... Seien Sie meine Bejahung, meine Rechtfertigung, meine Vollendung, meine Erlöserin, meine – Frau!«[27] Und als das Warten ihn zu quälen begann: »Man darf das Schicksal nicht in seiner üblen Gewohnheit bestärken, alles Gute erst dann ankommen zu lassen, wenn man vor lauter Warten schon ganz apathisch ist und sich kaum noch freuen kann.«[28]

Sicher war sie für ihn auch gesellschaftliches Symbol, doch seine Verzauberung hatte vielfältigere Ursachen. Er fand sie bildschön und huldigte ihren »Augen, schwarz wie Teer«[29]. Ihre

Anmut und delikate Dunkelheit rührten ihn. Eine »Prinzessin« sei sie, und er, »der ich immer – jetzt dürfen Sie lachen, aber Sie müssen mich verstehen! – der ich immer eine Art Prinz in mir gesehen habe, ich habe, ganz gewiß, in Ihnen meine vorbestimmte Braut und Gefährtin gefunden«[30].

Vorbestimmung? Jahrzehnte, nachdem die Ehe geschlossen war, sagte er: »Ich habe sie gesehen, lange bevor ich sie sah«[31] – durchaus keine Mystifizierung der eigenen Lebensgeschichte. Tatsächlich hatte Thomas Mann als Schüler das Bild eines »Kinderkarnevals«, 1888 von Kaulbach gemalt, aus der Zeitung geschnitten, um es über seinem Schreibtisch aufzuhängen. Es zeigte fünf Kinder mit schwarzen Locken in Pierrot-Kostümen, die niemand anders waren als die Kinder des Professor Pringsheim.

»Kinderkarneval«: Katia Pringsheim (links) und ihre Geschwister gemalt von Friedrich August von Kaulbach

Sie verfüge zwar nicht über »Golos goldenes Gedächtnis«, sagt Elisabeth, könne sich aber doch weit zurückbesinnen. »Meine früheste Erinnerung geht auf den Tod meiner Urgroßmutter Dohm zurück, die 1919 in Berlin gestorben ist, als ich ein Jahr alt war. Ich saß auf dem Schoß meines Vaters. Meine Mutter war auch im Zimmer, als das Telefongespräch mit der Nachricht aus Berlin kam.« Die Eltern waren ergriffen: »Mein Vater sagte ernst: Schade.« Elisabeth, sehr klein, konnte noch nicht richtig sprechen, weshalb die Eltern offenbar keine Notwendigkeit sahen, ihr bestimmte Härten der Erwachsenenwelt zu ersparen. »Aber ich verstand, was sie sagten, und machte mir eine präzise Vorstellung vom Tod. Ich dachte an eine Puppe, die oben auf dem Speicher war, die hin und her pendelte und dann am Boden kollabierte.« Ihr Bruder Golo, der sich, weil damals schon zehn, konkreter an die Szene erinnerte, bestätigte ihr später, daß sich die Meldung vom Tod der Urgroßmutter Dohm genau so zugetragen habe.

Die Episode ist düster, die Szenerie jedoch typisch: Elisabeth auf den Knien des Vaters. Dort sitzt die dunkeläugige Kleine mit dem entschlossenen Gesichtchen auch auf vielen späteren Familienfotos, steht auf Gruppenbildern meist neben ihm, an seiner Hand oder von ihm zärtlich umfasst. Mit seinem Taschentuch, das leicht nach Veilchenparfum duftete, zog er ihr wackelnde Milchzähne, trocknete ihre Tränen. Sie erinnert das Kitzeln seines Schnurrbartes, wenn er ihr einen Kuß gab. Die jüngste Tochter war »der erklärte Liebling des Vaters«, schreibt ihr ältester Bruder Klaus in seinem Lebensbericht »Der Wendepunkt«[32]. Es liegt nahe, daß Elisabeth ihre Kindheit »sehr glücklich« nennt.

1905 war Thomas und Katia Manns erste Tochter Erika zur Welt gekommen. Ihr folgte ein Jahr später der Bruder Klaus, 1909 und 1910 das zweite »Pärchen«: Angelus, genannt Golo, und Monika.

Schon vor der Geburt der »Kleinen« Elisabeth und des ein Jahr jüngeren Michael hatten sich die geräumigen Wohnungen in der Schwabinger Franz-Joseph-Straße, danach in der Bogenhauser Mauerkircherstraße als zu eng erwiesen. Das Idyll des »Tölzhauses« in Oberbayern, in dem die vier älteren Geschwister jeden ländlichen Bauernsommer und manchen Winter verbrachten, lernte Elisabeth nicht mehr kennen. Dieses erste selbstgebaute Haus der Familie verkaufte Thomas Mann 1917 fatalerweise für Kriegsanleihen. Er machte damit kein gutes Geschäft.

Wie man sich das Familienleben im Hause Mann vorstellen muß, erzählen die autobiographischen Schriften von Klaus, Golo, Katia und Monika, auch Erikas Interviews, und vieles erfährt man natürlich nicht zuletzt aus den Tagebüchern Thomas Manns. »Erziehung ist Atmosphäre«[33], notierte er dort. Statt direkt einzugreifen, lebte er vor, meinen Erika und Klaus in ihrem Buch »Escape to Life«: geistige Verantwortlichkeit, diszipliniertes Arbeiten, ritualisierte Tagesabläufe, einen immer in Ironie und Anführungszeichen gekleideten Ernst.[34] Das Praktische überließ er seiner Frau. Und tatsächlich muß die heimische Atmosphäre besonders gewesen sein: Sie entzündete kindliche Phantasie und Verspieltheit, öffnete eine Tür zur Kultur, war bei aller äußeren Regelhaftigkeit des »guten Hauses« im ganzen doch eher unkonventionell.

Immer wieder prägten Stilisiertes, theaterhaft Anmutendes den Alltag, dem trotzdem nichts Affektiertes anhaftete. Man war eben anders. Die Kinder trugen lange Zeit kostümartige, bestickte und gegürtelte Kittel, die »Russenkittel«, die es noch in Elisabeths Kindheit gab, und einen relativ einheitlichen Pagenschnitt. Sie sahen hübsch aus, vor allem die dunkellockige, magere »Eri« und ihr sensibler und verträumter Bruder Klaus, genannt »Aissi«. In dieser künstlerischen Aufmachung marschierten Aissi und Golo, der nicht nur nach Ansicht seines großen Bruders mit dem Pagenschnitt wie ein skurriler »Gnomenkönig« wirkte, stundenlang untergehakt im Garten herum, sich gegenseitig siezend und die Dinge der Welt beredend, und zwar meistens in einer eigenen, Uneingeweihten weitgehend unverständlichen Familiensprache, die sie, je älter sie wurden, immer stärker codierten und ironisierten.[35] Die Eltern nannten sie »Greise«, den Großvater Pringsheim »Ofey«. Großmutter »Offi«, daran bestand kein Zweifel, war manchmal recht »beese«. Elisabeth, kurze Zeit Lisa, danach Medi gerufen, erhielt von Golo den Spitznamen »Prinzessin Dulala«.

Der Duktus war typisch für die gesamte Familie: Auch die Eltern sprachen miteinander komisches »Familienkauderwelsch«, ihnen lauschten es die Kinder ab. Der gemeinsame Sinn für wunderlichen Humor, eine »hochgestochene«, amüsante Sprechweise habe die Eltern zweifellos zusammengeführt, erzählte Erika später in einem Interview: »Meine Mutter nannte meinen Vater, der sanft von Natur war, ... Reh, und sie nannte ihn auch ein ›rehartiges Gebilde von großer Sänfte‹ ... Nun hat er versucht, ihr eine Freude zu machen ... und eines schönen Tages ... schenkte er ihr ein kleines Bronzereh und schrieb dazu: Unfähig, eine Überraschung zu ersinnen, bringt das Reh sich selbst zum Opfer dar.«[36]

Vor allem die Mutter liebte solchen Schalk. Vor ihrem sechsundzwanzigsten Geburtstag sagte sie in gespielter Nachdenklichkeit zu ihrem Mann: »Jaja, jetzt werde ich auch schon dreißig.« Er, zerstreut und tröstend: »Sieh mal an, mein Katjulein.«[37] Den mittags ernst und stumm auf seinen Stuhl kletternden Golo grüßte seine Mutter jeden Tag aufs neue mit einem heiteren »Tach, Moni«, und jedesmal erklärte der daraufhin vehement sein Golo-Sein.[38] Elisabeth wiederum kann sich daran erinnern, daß die Mutter sie, vielleicht fünfjährig, einmal im Kinderzimmer abholte, weil der niedliche Nachwuchs in aparter Kostümierung einem Besuch vorgeführt werden sollte: »Heute kommt Hugo von Hofmannsthal«, verkündete Katia, »der denkt, er sei ein ebenso großer Dichter wie der Herrpapale!«

Überhaupt waren beide Eltern sehr präsent. Die Mutter, zärtlich »Mielein« genannt, war den Kindern »die vertrauteste Figur«, wie Klaus im »Wendepunkt« schrieb, während die empfindlichere Natur des Vaters höchste Vorsicht erforderte und immer wieder Distanz schuf – oft unnahbare. »Zauberer« nannten ihn die Kinder, seit er sich zum Kostümball mit Fez und Umhang präsentiert hatte.[39] Für Elisabeth allerdings war er nie der »Zauberer«, sondern »Tommy«[40], bis Katia der etwa Vierjährigen auseinandersetzte, es zieme sich nicht, seinen Vater so zu rufen. Sie sollte sich etwas anderes einfallen lassen und verfiel schließlich eben auf »Herrpapale«. So zeichnete Thomas Mann noch Jahrzehnte später Briefe an die erwachsene Tochter.

»Mielein« war unsentimental, aber herzlich, von schneller Redeweise und jähzornigem Naturell, ging mit den Kindern zum Rodeln und ließ sie morgens vor dem Frühstück zu sich ins Bett kommen. Sie bildete das emotionale Zentrum der Familie. Klaus im »Wendepunkt«: »Mielein ist praktisch, aber unordentlich; der Zauberer ist weltfremd und verträumt, aber ordentlich bis zur Pedanterie. Der Mutter macht es nichts aus, wenn man sie um drei Uhr morgens stört, aber sie ärgert sich, wenn man die neuen Handschuhe verliert oder zu spät zum Zahnarzt kommt; der Vater weiß nicht einmal, daß man Handschuhe besitzt und daß unsere Zähne ärztliche Behandlung nötig haben, aber er mißbilligt es, wenn wir beim Essen schmatzen ...«[41] Und: »Es ist quälend, bei ihm in Ungnade zu sein, obwohl oder gerade weil sein Mißmut sich nicht in lauten Worten zu äußern pflegt. Sein Schweigen ist eindrucksvoller als eine Strafpredigt. Übrigens ist nicht immer leicht vorauszusehen, was er bemerken und wie er reagieren wird. ... Die väterliche Autorität ist unberechenbar.«[42]

Auf Arbeits- und Ruhezeiten des Vaters mußte unbedingt Rücksicht genommen werden. Sein Arbeitszimmer bildete schon durch seine Lage im Mittelteil des Erdgeschosses zwischen Salon

Thomas Mann und seine jüngste Tochter Elisabeth, 1925

und Eßzimmer das Herzstück der Villa und war für die Kinder absolut tabu. Dort stand der geordnete Schreibtisch mit dem Arrangement von Tintenfaß, Korkfederhalter und Kerzenleuchtern, in der Luft vermischte sich der Duft von Zigarren mit dem leinig-staubigen Geruch der Bücher. Diesen Raum betraten die Kinder nur, wenn der Vater ihnen etwas vorlas. Vormittags arbeitete er, nachmittags las er, dann ruhte er, und bei keiner dieser Beschäftigungen wünschte er gestört zu werden. Die Kinder hatten sich also still zu verhalten, und es muß bei kindlichem Zuwiderhandeln zu fürchterlichen Donnerwettern gekommen sein, »um so schärfer in die Seele schneidend, weil es nur selten provoziert wurde«, wie Golo im Alter schrieb.[43]

Hatten sie eine unterdrückte Kindheit? Es ist nicht leicht, sich ein Bild von der Lebenswelt anderer Familien zu machen; häufig stehen schon die Sichtweisen der betreffenden Familienmitglieder selbst im Widerspruch. Im Fall der Familie Mann erkennt man, wenn man die vielen Mosaikteilchen der Erinnerungen zusammensetzt, unschwer das erste Gesetz des Künstlerhaushaltes: die heikle Befindlichkeit Thomas Manns nicht zu irritieren.

War er, unter dieser Voraussetzung, ein guter Vater? Er konnte es sein. Allen sechsen las er leidenschaftlich vor: Märchen, vor allem Andersen, später auch aus dem eigenen Werk, und er wollte wissen, wie es ihnen gefiel. »Wenn es komisch war«, erzählt Elisabeth, »lachte er selbst so, daß er sich unterbrechen mußte.« Er ging mit ihnen in die Oper, vor allem, um ihnen Richard Wagner nahezubringen, der ihm selbst am nächsten stand, und veranstaltete Grammophonabende, auf denen nach Monikas Erinnerung »zwischen den holzgetäfelten Wänden unserer Diele mit den drei Fenstern, die mit roten Seidengardinen verhängt waren«, Lieder von Schubert erklangen, Verdi-Arien, Mozart, »und wir lauschten, teils auf den Fauteuils unter dem Kronleuchter am Kamin, teils auf der ›roten Treppe‹ sitzend«.[44] Führte der von den größeren Kindern gegründete »Mimikbund« im Hause ein Theaterstückchen auf, formulierte er komische Kritik: »Als Luise bewies Herr Klaus viel Biedersinn, doch bleibt der hoffnungsvolle Darsteller aufmerksam zu machen, daß das Sprechen gegen den Hintergrund in Kennerkreisen mit Recht als Unsitte gilt, da es das Verständnis der Dichterworte, von denen ein jedes dem Gebildeten teuer ist, erschwert.«[45] Auch väterliche Briefe lesen sich zauberhaft launig, namentlich an die »Kronprinzessin« Erika: »Medi hat so lieb und verständig … erzählt, meine Goldamsel. Bibis (Michael, d. V.) Gedicht (zu TMs Geburtstag, d. V.) ist freilich durch und durch problematisch. Daß er mich ›liebes Tobbilein‹ anredet, möchte hingehen, gewinnt mich sogar. Aber was für einen gesunden Sinn soll es haben, wenn er sagt: ›Gratoliert Dir n' ganze Schar, nur auf Deine Ehr‹? Und daß er mir so ins Gesicht hinein dichtet: ›Ist nicht jung gar mehr‹! Er soll nur zusehen, ehe ers gedacht ist er auch 54, und dann bin ich schon lange ein Englein im Himmel, gaukle um silberne Lilien und esse leichte Malve, während er sich hienieden plagen mag.«[46] Dem »lieben Erikind« gratulierte er zum zwanzigsten Geburtstag mit der Bitte um Verzeihung, »daß wir Dich in bodenlosem Leichtsinn auf die Welt gesetzt! Es soll dergleichen nicht wieder vorkommen, und schließlich ist es uns ja auch nicht besser ergangen«.[47] So weltfremd war er nicht, daß er nicht seiner Frau beim Stillen des kleinen Michael Gesellschaft leistete[48], eher eine Seltenheit bei einem Mann damals – auch hierin »erdete« ihn seine Frau. Und er spielte mit den Kindern. Er buk ihnen Sandkuchen oder mimte bei Tisch den gedankenverlorenen Professor, der sich auf einen Stuhl niederließ, auf dem bereits ein Kind Platz genommen hatte, um sich schließlich verwundert über das eigenartige Kissen unter kindlichem Gejuchze und Geschrei aufklären zu lassen.[49]

Das allerdings waren Feststunden, kein Alltag. In der Regel strahlte der Vater, konzentriert an seinem Schreibtisch sitzend, abweisende, nervöse Strenge aus. Seltsam abgeschottet und für sich muß er innerhalb dieser Großfamilie oft gewirkt haben, so sehr, daß seine Tochter Monika in späteren Jahren behauptete, sich nicht an ein Gespräch mit dem Vater erinnern zu können. Er vergaß die Geburtsjahre seiner Kinder ebenso wie seinen fünfzehnten Hochzeitstag. Michael mußte nach Veröffentlichung der Tagebücher wenig Nettes lesen: »Fremdheit, Kälte, ja Abneigung« (13. Februar 1920) empfand der Vater zunächst gegen seinen Jüngsten, der, »wie gewöhnlich, ein wenig idiotisch im Stuhl« wackle (3. Mai 1920) und dessen Ankunft »das ›Erlebnis‹ Lisa« beeinträchtige (28. September 1918). Überhaupt standen die beiden hübschen, begabten, lustigen Ältesten Erika und Klaus sowie die rührende Medi ihm am nächsten. Dem erwachsenen Klaus, sensibel und verwundbar, blieb der Vater jedoch »ein Fremder«[50], und in Golos Erinnerungen finden sich die bitteren Worte: »Was hatten wir doch für eine elende Kindheit.«[51]

Gegen diese häufig kolportierte Meinung, eine Kindheit im Hause Mann müsse traumatisch gewesen sein, tritt Elisabeth noch heute leidenschaftlich an. Sicher, sie hätten den Vater bei der Arbeit nicht durch Spiel in der benachbarten Diele oder im hinten angrenzenden Garten stören dürfen, doch im oberen Stockwerk, im Park vor der Haustüre sei ja genug Platz gewesen. Und welcher daheim tätige Vater verbäte sich nicht permanenten Kinderlärm, ohne deswegen ein gefühlskaltes Monster zu sein? Zeigten die Tagebücher nicht, daß er, die Kinder betreffend, wirklich an jeder Kleinigkeit Anteil genommen habe? Elisabeth: »Das hat mich sehr in meiner Überzeugung bestärkt, daß die Familie für meinen Vater von ungeheurer Wichtigkeit war – und er ein leidenschaftlicher Familienmensch.«

Ob es sich um einen neuen Haarschnitt Golos handelte, um Erikas einsetzende Unpäßlichkeit oder Klaus' nasse Augen beim Vorlesen – er beobachtete seinen Nachwuchs sehr genau. Und nicht ohne Vatergefühl: Wütend schritt er ein, als der zehnjährige Golo von den anderen bis zu Angsttränen festgehalten und gekitzelt wurde, und konnte sich noch tags darauf nicht über diese Infamie beruhigen.[52]

Selbst Golo, meist den weniger geliebten Kindern neben Monika und Michael zugeordnet, widersprach dem Literaturkritiker Marcel Reich-Ranicki energisch, als dieser in einer Besprechung der Tagebücher Thomas Mann als eitlen und an menschlichem Erleben armen Egomanen und Golo selbst als »ungeliebten Sohn« schilderte.[53] Hätte Reich-Ranicki, so Golo in seinem Brief von 1981, nicht bemerken müssen, daß »der Unterzeichnete … so oft, so freundlich erwähnt wird«[54]? Gerade nach 1933 habe sich die Vater-Sohn-Beziehung entschieden zum Guten verändert.[55] Und sollte Reich-Ranicki »TMs« Eigenliebe nicht doch überschätzen? »Ego sind wir schließlich alle, davon kommen gerade schöpferische Individuen am wenigsten weg.«[56]

Mit einem Genie lebt es sich selten entspannt, und wer Thomas Mann zum Vater hatte, brauchte fraglos eine gewisse psychische Robustheit, um sich Kränkungen und Kühle nicht zu sehr zu Herzen zu nehmen. Erika und Elisabeth besaßen sie, ebenso wie ihre Mutter Katia; zudem waren die beiden Töchter Lieblingskinder. Aber alle Kinder liebten den Zauberer, auch die schwierigeren, labileren, auf deren Leben Thomas Mann einen unauslöschlichen Schatten werfen sollte.

Die Erwählte

Kaum ein Tag verging, an dem er Elisabeth nicht in seinem Tagebuch erwähnte. Aufzeichnungen über sein Leben führte Thomas Mann mit fast zwanghafter Besessenheit; jeden Abend protokollierte er minutiös Tagesablauf und Tätigkeit, Besucher und Befindlichkeit, Garderobe und gesundheitliche Verfassung. Tagebuchnotizen aus der Zeit vor 1918 sind nicht erhalten – sie fielen dem Feuer zum Opfer, in dem Mann im Garten seines kalifornischen Hauses alle Hefte aus der Zeit vor 1933 vernichtete (mit Ausnahme jener vier Bände aus den Jahren 1918 bis 1921, die er wohl noch für die Arbeit am »Doktor Faustus« verwerten wollte).

Ob er den ersten Lebensjahren seiner vier Älteren dieselbe Aufmerksamkeit beimaß wie bei Elisabeth, ist also nicht festzustellen. Wahrscheinlich ist es allerdings nicht, zumal es bei den Großen und Mittleren keine literarische Umsetzung väterlicher Gefühle wie jenen hymnischen »Gesang vom Kindchen« gibt, den er für Elisabeth schrieb.

Auf dieses Baby nämlich war er geradezu fixiert. Er hielt es nicht für unter seiner Würde, selbst beim Füttern, Baden, Wickeln dabei zu sein und litt bei jeder Krankheit des »Kindchens« mit: »Furchtbar«, schrieb er, »meine bis zur Erschöpfung gehende Aufregung gestern Abend mit dem Kindchen: das ›Fräulein‹ auf Urlaub, Katja auf Besorgungen, ich allein mit dem geliebten Wesen, das naß und bloß war, u. dem ich die feucht-kalten Stücke abnahm, aber nicht weiter zu helfen wußte, u. das erschreckend schrie, wahrscheinlich unter dem Einfluß meiner Hilflosigkeit. Fürchtete, sein Vertrauen zu verlieren.« (11. September 1918) So geht es die Jahre 1918 und 1919 hindurch unablässig weiter. »Das freudig-freundliche, herzenshöfliche Lachen des Kindchens, wenn ich an seinen Wagen trete u. zu ihm spreche, entzückt und erquickt mein Herz immer aufs Neue.« (21. September 1918) »Das Kindchen morgens beim Baden rührend vergnügt« (2. Oktober 1918). »Holte das Kindchen aus dem Garten … und trug es in meinem Zimmer herum, zeigte ihm namentlich die Uhr, die es sehr fesselt.« (27. Oktober 1918) »Das Kindchen hat Ohrenschmerzen … Es warf sich und schrie, daß es mir das Herz zerriß … Setzt man Kinder in die Welt, so schafft man auch noch Leiden außer sich …, an denen man sich schuldig fühlt.« (13. November 1918) »Das Kindchen erkältet, aber freundlich, heiter und rührend. Es sitzt jetzt oft bei uns am Boden, in einem aus meiner Chaiselongue-Decke und Kissen bereiteten Nest.« (20. März 1919)

Bis auf gelegentliche Krankheiten blieben die ersten Jahre mit dem Sonnenschein unproblematisch. Elisabeth war gutgelaunt und aufgeweckt. »Tiefe Erheiterung und Rührung«, heißt es im Tagebuch am 26. Oktober 1919, »über seine Art zu plappern.« Und ein gutes halbes Jahr später, im Mai 1920: »Lisa's singende Betonung,

wenn sie z. b. (nach dem Bürsten) sagt: ›Jetzt ist Mädi dulala ssön.‹«
Erst zwei Jahre nach ihrer Geburt gab Thomas Mann »Lisa« zugunsten des Kosenamens »Medi« auf, den sie zeitlebens behielt.

Der verzauberte Zauberer spielte viel mit der Kleinen, ging mit ihr »im Eßzimmer spazieren, wie sie es gern hat« (22. April 1920) und buk ihr »Eimer-Sand-Kuchen im Garten« (21. Mai 1921). Seligkeit und Stolz ergriffen ihn, wenn die Kleine soviel Zärtlichkeit ihrerseits mit besonderer Anhänglichkeit honorierte: »Lisa äußerst zärtlich, wollte von mir weder zu Erika noch zu K. (Katia).« (18. Juni 1919)

Der Großschriftsteller im Garten hockend und mit feuchtem Sand panschend? Ein sonderbares Bild. So stellt man ihn sich nicht gerade vor. Doch für ihn muß sein überschwengliches Vatergefühl gegenüber Elisabeth von idyllischer Einfachheit gewesen sein, eine Erholung von den belastenden Beschäftigungen der vergangenen Jahre.

Bis 1918 hatte ihn die mühsame, schon 1915 begonnene Arbeit an den »Betrachtungen eines Unpolitischen« in Anspruch genommen. Mit dieser aus heutiger Sicht immer wieder deutlich reaktionären, ja chauvinistischen Kriegsschrift stellte er sich unverkennbar gegen den kosmopolitischen und frankophilen Bruder Heinrich, dessen »Zola«-Essay er, ohnehin in permanent schwelender Rivalität zum Älteren befindlich, als Provokation empfunden hatte. Griff Heinrich Mann dort das Wilhelminische Reich, Militarismus und kriegschürende Politik an, attackierte Thomas Mann nun haßerfüllt den, wie er meinte, im Bruder verkörperten »Zivilisationsliteraten«. Eine Bruderfehde, die bis in die zwanziger Jahre andauerte – und ein politischer Irrweg Thomas Manns.

Es war eine Zeit, aus der Klaus ebenso wie Golo vor allem Erinnerungen an einen verschlossenen und verdüsterten Vater mitnahm. »Kann man an sich«, so letzterer in seinen Memoiren, »nicht immer sehr nett zu seiner Umgebung sein, wenn man sich aus-

Katia Mann mit der kleinen Elisabeth, Herbst 1918

schließlich der eigenen schöpferischen Arbeit widmet, um wie viel weniger, wenn man Tag für Tag sitzt an den ›Betrachtungen eines Unpolitischen‹, in denen, um nur ein Beispiel für die dunkelsten Akzente des Buches zu nennen, die Versenkung des englischen Schiffes Lusitania, mit zwölfhundert Zivilisten an Bord, ausdrücklich gebilligt wird?«[57]

1918 dann, in Elisabeths Geburtsjahr, schloß Thomas Mann das Kriegsbuch ab – zu seiner großen Erleichterung. Er war reif für ein geistiges und emotionales Kontrastprogramm. Literarisch schlug sich der Rückzug ins Private in »Herr und Hund« nieder – und im »Gesang vom Kindchen«. Das kleine Werk interpretierte Mann im Tagebuch als eine »seelische, idyllisch-menschliche Reaktion auf die Zeit, ein Ausdruck einer durch Leiden und Erschütterungen weichen Stimmung, des Bedürfnisses nach Liebe, Zärtlichkeit, Güte, auch nach Ruhe und Sinnigkeit« (27. Oktober 1918). Literaturwissenschaftler sind sich noch heute nicht einig, ob sie nun den aggressiven »Betrachtungen eines Unpolitischen« oder dem intimen »Gesang vom Kindchen« den Rang des seltsamsten seiner Werke zusprechen sollen. In letzterem befremdet ja nicht nur die altmodische Hexameter-Versform, die dem Schriftsteller nicht leicht von der Hand ging. Hinzu kam, daß Thomas Mann der Vernarrtheit in sein kleines Töchterchen bis dahin immer nur diskret Ausdruck verliehen hatte, nämlich im Tagebuch, während er sie im »Gesang« öffentlich machte. Das Werk war eine einzige Liebeserklärung.

Wie schon erwähnt, bezeichnete er das »Kindchen« darin unverblümt als sein eigentlich »Erstgeborenes«. Und seine anderen Kinder? Doch, die liebe er durchaus auch, dichtete Mann, doch er »liebte sie um der Mutter, der Märchenbraut willen von einstmals, / Die sich der Jüngling erschaut und erworben, – sie waren ihr Glück ja.« Klaus nannte er zwar einen schönen, besonderen Knaben, aber die wahre Liebe zu einem Kind hätten ihn erst Zeit und Reife gelehrt: »Da denn nun, da innerlich alles also bestellt war, / Keimtest du und wardst mir geboren, teuerstes Leben, / Liebes Kindchen! Und wie anders war mein Gemüt nun / Vorbereitet für solchen Empfang auf mancherlei Weise! / … du erst, mein Liebling, / Warest Frucht der männlichen Liebe, treuen Gefühls, / Langer Gemeinschaft in Glück und Leid.« Als junger Mann, fährt er in fast rührend wirkender Selbststilisierung fort, habe er nur des Geistigen geachtet, für den Duft der Sommerrose ebensowenig Sinn gehabt wie für andere Schönheiten der Natur. Das sei nun anders: »Töchterchen, sieh, so war ich im Herzen gestimmt und bereitet, / Dich zu empfangen aus dem Schoß des organischen Dunkels, / Das dich treulich gehegt und genauestens fertig gebildet / Nach den Gesetzen der Art.« Das liest sich, als habe Mann seine anderen Kinder eher als Früchte des Ehrgeizes betrachtet – Symbole für Erfolg und Konsolidierung, genau wie die schriftstellerischen Werke.

Katia war offenbar von vielem, was ihr Mann ihr während der Entstehung des Gedichts vorlas, berührt. Allerdings nicht nur angenehm. Besonders die »Darstellung des Intimsten«[58] behagte ihr ganz und gar nicht. Ob es der »Schoß des organischen Dunkels« war oder ihre eigene Schilderung als »Prinzessin des Ostens« mit »elfenbeinernen Schultern, / Welche kindlich gebildet und anders als die unserer Frauen, / Schultern von Flötenspielerinnen, Schultern des Niltals«, mit der Mann das Mischlingsthema in seinem »Gesang« romantisierte – sie fand es »unangängig«[59]. Der deutliche Hinweis auf die Exotik kann Katia schon deswegen nicht gefallen haben, weil sie, wie Elisabeth erzählt, immer »vollkommen rasend« wurde und heftig »Unsinn!« ausrief, wenn man sie auf ihre jüdische Herkunft ansprach. Sie empfand sich nicht als jüdisch. Und was ihren Widerwillen gegen den »Gesang« anging, mag sie überdies befürchtet haben, ihre anderen vier Kinder könnten sich durch die Lobpreisung ihres Schwesterchens zurückgesetzt fühlen.

Die im Tagebuch erwähnten Beschäftigungen mit dem Kinde, der väterliche Besuch im Bad, die Ohrenkrankheit, das Herumtragen im Bücherzimmer, alles fand sich in den Versen wieder. Lyrisch beschrieb der Vater, wie er sich vom Kindchen mit seinen Händchen ins Gesicht fassen ließ, sich »mit Brummen und Schnappen« gefährlich stellte, und vergaß auch das Muttermal links zwischen Schläfe und Stirne nicht. Am Ende scheint ihm selbst soviel Hingabe etwas peinlich gewesen zu sein. Im Tagebuch notierte er seine Befürchtung, das Ganze könnte einen »lächerlich privaten Charakter« haben; deshalb gehöre »großes Selbstbewußtsein, eine unerschütterliche Würde«[60] dazu, es zu veröffentlichen. Daran fehlte es ihm nicht.

Eine Vorzugsbehandlung erfuhr Elisabeth auch in der 1925 geschriebenen Erzählung »Unordnung und frühes Leid«. Sie ist die tragikomische Heldin der darin portraitierten Familie, die den Manns direkt nachempfunden ist. Ein eifersüchtiger Vater, Geschichtsprofessor Abel Cornelius, muß erleben, wie sich sein fünfjähriges Lieblingstöchterchen Lorchen auf einer Abendgesellschaft der beiden älteren, fast erwachsenen Geschwister leidenschaftlich und wenig erfolgverheißend in den Gast Max Hergesell verliebt, einen hübschen, doch läppischen Sunnyboy. Der tanzt höflich ein wenig mit dem Mädchen, das, kurz darauf zu Bett geschickt, bittere Kindertränen vergießt, sich – Höhepunkt der väterlichen Enttäuschung – von nichts und niemandem trösten läßt und den ersten Einbruch von Kummer in sein kindlich kleines Leben erfährt.

Wenn es erlaubt ist, dieses Portrait auf das Mannsche Familienleben zu übertragen, dann hieße das: Noch immer ist Elisabeth Thomas Manns Augapfel, doch in die Zärtlichkeit des Vaters mischen sich nun Belustigung und Selbstironie. In der Novelle nämlich sind es vor allem die »Frechheiten der Zeit«, die Geschichtsprofessor Cornelius, Manns Alter ego, in die Liebe zu seinem Töchterchen getrieben haben: Deutschland befindet sich zum Zeitpunkt der Geschichte, 1923, in einem moralisch erbärmlichen Zustand, die Inflation ist auf ihrem Höhepunkt, und wenn das

Sechstausend-Mark-Ei nicht in fünf Minuten teurer geworden ist, darf man sich wundern. Aber »Vaterliebe und ein Kindchen an der Mutterbrust, das ist zeitlos und ewig und darum sehr heilig und schön«. Dieser Liebe jedoch haftet etwas Tendenziöses an. Es steckt, so Thomas Mann, Feindseligkeit in ihr, »Opposition gegen die geschehende Geschichte zugunsten der geschehenen, das heißt des Todes ... Sie hält zu ihm, gegen das Leben, und das ist in gewissem Sinne nicht ganz schön und gut.«[61]

So räsonniert Cornelius. Er ist sich der bedenklichen Wurzeln der Vaterliebe also bewußt, und doch ändert das nichts an ihrer Heftigkeit und Parteilichkeit. Cornelius zieht Lorchen ihrem Brüderchen »Beißer« entschieden vor, wie Mann seinem jüngsten Sohn Michael immer weit weniger Aufmerksamkeit schenkte als der ein Jahr älteren Elisabeth. Und während der labile und reizbare, zu Tränen und Ausbrüchen neigende Beißer der besondere Pflegling der Mutter ist, gehört Cornelius' Herz ganz der Kleinen, auch wenn er spürt, daß seine Frau wohl hochherziger gewählt hat. Aber dem Herzen »läßt sich nicht gebieten«. Noch in Kleinigkeiten spiegelt sich das autobiographische Moment von »Unordnung und frühes Leid«. Die Kinder zum Beispiel tragen die Mannschen Russenkittel, ziegelrot und bestickt, haben auch die Pagenfrisur, Lorchens Ohren sind wie Elisabeths Kinderohren verschieden groß, auf der einen Wange hat sie besagten Leberfleck, und genau wie die kleine Elisabeth drückt sie sich possierlich aus, indem sie über sich selbst kummervoll urteilt, das Gesichtchen sei nichts Besonderes, »das Figürle« hingegen recht nett. Auch Lorchen macht »alles besser« als der kleine Bruder, den sie unterrichtet und zum Nachsprechen anhält. Paßt er nicht auf, stellt sie ihn in die Ecke. Tatsächlich erinnert sich Elisabeth noch heute mit schlechtem Gewissen daran, Michael bei dieser Gelegenheit einmal eine Ohrfeige gegeben zu haben. Wie in der Erzählung habe sie sich daraufhin selber in die Ecke gestellt.

Wahr ist, daß Elisabeth wie Lorchen ihre wackelnden Zähnchen vom Vater mit dem Taschentuch herausbiegen ließ, und stattgefunden haben auch die Spiele, die in »Unordnung und frühes Leid« beschrieben sind. Da war zum einen das »Kissenspiel«, bei dem sich Cornelius/Mann auf seinem Stuhl bei Tisch niederließ, auf dem bereits ein verstohlen kicherndes Kind Platz genommen hatte, und bei dem ausführliche Verwunderung über das ungewöhnlich unregelmäßige Kissen der Entdeckungsszene voranging. Unvergeßlich ist Elisabeth auch das Spazierengehen im Eßzimmer. Hand in Hand mit dem Vater, der sich mit krummen Knien kleiner machte, ging sie »mit ernsten Schritten, als ob es ein richtiger Spaziergang sei«, am oberen Ende des Eßtischs auf und ab, und selbst nach vielfacher Wiederholung büßte die Promenade nichts von ihrem Reiz ein.

Das Lorchen der Erzählung, das von Schluchzern geschüttelt in seinem Bettchen sitzt, wird am Ende doch noch ruhig schlafen können. Ihr Papa kann sie nicht trösten, wohl aber der junge Galan, der leutselig zum Gute-Nacht-Sagen im Kinderzimmer vorbeischaut – mehr, um dem angesehenen Professor als dem Kind durch seinen gewandten Charme zu imponieren. Dem Vater bleibt die Erschütterung über die Erkenntnis, daß er in der Gunst des Töchterchens hintanstehen könnte – doch zugleich der Trost, daß es noch eine Weile auf ihn fixiert sein wird, auf Kissenspiele und Spaziergänge rund um den Eßtisch.

Allianzen und Prägungen

Die Kindheit schlägt in manchen Menschen Töne an, die ein Leben lang nachhallen. Das erste Hören eines Musikstücks, ein Blick aufs Meer können etwas entfachen, das unauslöschlich bleibt, vielleicht sogar den späteren Lebensweg bestimmt. Der noch in der Er-

Elisabeth (vorne) und ihr jüngerer Bruder Michael beim Spiel in der Poschingerstraße, 1925

innerung spürbare Druck einer Hand, der tröstliche Duft eines Taschentuchs, das Echo der geschwinden, tiefen Stimme der Mutter können schützend über die Jahre begleiten. Elisabeth mußte sich im familiären Gefüge keinen Platz suchen oder gar erkämpfen: Er war für sie bereitet und immer schon da. Häusliches Behütetsein vermittelte ihr einen fast selbstverständlichen Begriff von Stabilität, der ihren Geschwistern entweder fehlte oder ihnen doch schwer erreichbar blieb.

»Als kleines Kind stand ich meinem Bruder Michael natürlich am nächsten. Wir waren nur ein Jahr auseinander und sind zusammen aufgewachsen«: Geschwisterliche Paarbildung, bei der je ein Junge und ein Mädchen im Abstand weniger Jahre aufeinander folgten, verband auch Elisabeth und Michael. Mit »Bibi« teilte Elisabeth das Kinderzimmer, besuchte Köchin, Personal und Hund im Souterrain. Mit ihm buddelte sie im Sandkasten ein »sehr tiefes Loch«, um, animiert vom passionierten Lesen Karl Mayscher Indianergeschichten (eine Trivial-Lektüre, über die sich der literarisch ambitionierte große Bruder Klaus ganz entsetzt zeigte), bis Amerika vorzudringen. Mit ihm erkundete sie, wie ihre großen Geschwister Jahre zuvor, den Herzogpark.

Wechselnde Kindermädchen führten die Kleinen dort spazieren. Das schwäbische Fräulein, das sich die Namen »Medi« (Mädchen) und »Bibi« (Bübchen) für Elisabeth und Michael hatte einfallen lassen, verließ das Haus recht bald; es folgte Fräulein Thea mit der weißen Schürze, das die beiden Kinder, eines rechts, das andere links an der Hand, ungeduldig hinter sich herzerrte, und später, als Elisabeth etwa acht Jahre alt war, »die Kurz Marie«, »kreuzbrav und ein bißchen dreist«, die bis zum Exil 1933 blieb.

Mit diesen Kindermädchen frühstückten Elisabeth und ihr Bruder auf der oberen Diele der dreistöckigen Villa (aufs Brot kamen Margarine und Kunsthonig), während die Eltern unten ihr Frühstück (mit echtem Honig) einnahmen.

Thomas Mann erlebte Elisabeth vornehmlich als Beschützer. Auf einem der jährlichen Oktoberfestbesuche bestand die Familie darauf, sich die Attraktion einer schauerlichen Mißgeburt nicht entgehen zu lassen: nach Elisabeths vager Erinnerung muß es sich um ein zweiköpfiges Wesen in Spiritus gehandelt haben. Das Kindchen, auf dem Schoß des Vaters und von ihm getröstet, kniff während der ganzen Vorführung die Augen zusammen und mußte am Ende von ihm, die Augen noch immer geschlossen, aus der Schaubude geleitet werden. Einmal allerdings, besinnt sie sich, habe sie des Vaters Grausamkeit erschreckt. Aus pädagogischen Gründen habe er Michael, der sich sehr vor dem Kruzifix fürchtete, mit einer Radikalkur von diesem Trauma befreien wollen. Er nagelte ihm das Bild eines Kreuzes direkt übers Bett.

Mit ihren dunklen Augen und dem konzentrierten, ernsten Gesichtchen ähnelte Elisabeth der Mutter von allen Geschwistern vielleicht am meisten, und Katia präsentierte sie den häufigen und häufig illustren Gästen denn auch mit Stolz. Intimere Freunde bat sie sogar zu kleinen Privatvorstellungen am Bett der schlafenden Kleinen: um deren ausführlichen Traum-Plappereien zu lauschen. Den überaus strengen Ausdruck ihres Kindergesichts auf vielen Bildern führt Elisabeth heute auf eine Episode in ihrem fünften Lebensjahr zurück. Der französische Erzähler und Nobelpreisträger Romain Rolland und seine Frau waren zum Tee geladen, und das Kinderfräulein hatte Anweisung, Medi und Bibi in ihren identischen »Russenkitteln« abzuliefern. Auf Katias Frage, wer denn wohl der Bub, wer das Mädchen sei, deutet Madame Rolland sofort auf Michael: »Das ist der Junge. Er schaut ernster.« Das habe sie, Elisabeth, so erbost, daß sie von da an immer »eine Grabesmiene aufgesetzt habe, sobald ich vorgestellt oder fotografiert wurde«.

Sie wollte ernst genommen werden, auch als Mädchen. Deshalb habe sie dieses Erlebnis, wie sie heute sagt, geradewegs zum Frauenthema geführt, mit dem sie sich dreißig Jahre ihres Lebens beschäftigen sollte. Dazu hätten auch die Eltern beigetragen, die »Mädchen immer als gute zweite Klasse bezeichnet haben: Sie waren ›male chauvinists‹« – zumindest im Scherz und aus Koketterie. Und Elisabeth, ganz »gute zweite Klasse«, war sehr artig. Grund zur Sorge gab sie ihren Eltern als Kind nicht.

Anders verhielt es sich mit den Großen: Klaus berichtete, daß sich die Verhältnisse im Hause Mann durch die beiden jüngsten Kinder gewaltig verändert hatten: Dank der Ankunft des neuen Pärchens avancierten Golo und Monika in den Stand der »Mittleren«, während das älteste Geschwisterpaar Klaus und Erika nun als fast erwachsen[62] oder zumindest als halbwüchsig galt – und sich oft entsprechend verhielt. Im Alter nur ein Jahr auseinander liegend, traten sie wie Zwillinge auf. Beide waren phantasievoll, begabte Selbstdarsteller, die schon als Kinder – zum Leidwesen, aber auch zum stolzen Amüsement der Eltern – ihr Unwesen trieben. »Die Manns kommen!« rief eine Horde aufgeschreckt fliehender Kinder dem spazierengehenden Vater Thomas Mann einmal entgegen.[63] Zu der »Herzogparkbande«, die sie damals begründet hatten, gehörten auch die Nachbarskinder Ricki Hallgarten sowie Gretel und Lotte Walter, die Töchter des Dirigenten Bruno Walter. Die Freundschaft zwischen Eltern und Kindern der beiden Familien sollte ein Leben lang bestehen.

Erika und Klaus führten mit ihrem »Laienbund deutscher Mimiker« nicht nur Theaterstückchen auf, sondern ersannen auch Telefonstreiche, bei denen sie etwa im Namen der berühmten Schauspielerin Delia Reinhardt wildfremde Menschen zum Tee bitten ließen. Außerdem begingen sie Ladendiebstähle, was sie zu guter letzt vorübergehend ins Internat brachte. Sie waren Kinder einer unruhigen, labilen Zeit, die jene inneren Gefährdungen, die zweifellos beide kennzeichneten, förderte. Zwar waren die Schüsse verhallt, die während der bayerischen Revolution und Gegenrevolution 1919 selbst im sicheren Bogenhausen gefallen waren; auch hatten die roten Garden der Räterepublik das Haus in der Poschingerstraße 1 – durch den Einfluß des kommunistischen Schriftstellerkollegen Ernst Toller – verschont. Revolutionäres Gedankengut hatte aber dennoch Einzug gehalten, und zwar im oberen Stock, bei Klaus und Erika. Während die Nachkriegsinflation im Krisenjahr 1923, dessen November den Hitlerputsch an der Feldherrnhalle brachte, für Thomas Mann das Ende von Bürgertum und Moral signalisierte, wie Elisabeth im Rückblick festhält,[64] genossen Erika und Klaus den Reiz des bohemienhaften Großstadtlebens. Ein heimlicher Ausflug ins sündige Berlin von Schminke und Schieberei beeindruckte die damals Siebzehn- und Achtzehnjährigen schwer. Ganz nach dem Motto der »roaring twenties«: Der Dollar steigt – lassen wir uns fallen! Was sollten wir stabiler sein als unsere Währung? Die deutsche Reichsmark tanzt: Wir tanzen mit![65]

Beide neigten zur Selbstinszenierung, doch verfügte die jungenhafte, freche, temperamentvolle Erika über mehr Selbstbewußtsein als ihr sensibler Bruder. Mit komödiantischem Talent und viel bösem Charme konnte sie Leute nachmachen, gern auch im bayerischen Idiom, und dem Vater damit Lachtränen entlocken.[66] Daß sie in der Münchener Trambahn arglose Fahrgäste erschreckte, indem sie in derbem Bayerisch ein Ladenfräulein mimte, das über seinen unehelichen, missratenen und Kühe marternden Sohn klagte, beschrieb Thomas Mann in »Unordnung und frühes Leid«, wo Erika als Prof. Cornelius' älteste Tochter Ingrid auftaucht, ein »sehr reizvolles Mädchen«, das jedem mit seiner bezwingenden Präsenz den Kopf verdreht. Erikas Berufswunsch war die Schauspielerei, und tatsächlich absolvierte sie später eine Ausbildung beim berühmten Max Reinhardt.

Auch Klaus erschien in der Erzählung, als Sohn Bert. Er ist mit einer gewissen Herablassung als Taugenichts charakterisiert, »blond und siebzehnjährig, der die Schule um keinen Preis zu beenden, sondern sich so bald wie möglich ins Leben zu werfen wünscht und entweder Tänzer oder Kabarett-Rezitator oder aber Kellner werden will: dies letztere unbedingt ›in Kairo‹«.[67] Letztlich allerdings wollte Klaus, frühreif und begabt, dann doch schreiben, was sein Vater mit Skepsis beobachtete, und hatte seine ersten Veröffentlichungen auch bereits 1924, mit nur siebzehn Jahren.

Weniger Unruhe verursachten die »Mittleren«, Golo und Monika. Beide besuchten als Jugendliche das Internat Salem, so wie zuvor auch Erika und Klaus zeitweise reformpädagogischen Einrichtungen anvertraut worden waren, und kamen phasenweise nur für die Ferien in die Poschingerstraße, wo jedes der Kinder bis zum Ende der Münchener Zeit ein Zimmer behielt. Waren alle zu Hause versammelt, muß der Mittagstisch beeindruckende Ausmaße angenommen haben: Am oberen Tischende thronte der Vater, rechts daneben die Mutter, am unteren Tischende die Jüngsten samt Kinderfräulein, dazwischen die anderen Geschwister und diverse Gäste, wie sie bei den Hauptmahlzeiten an der Tagesordnung waren. Neben Freunden wie dem Germanistik-Privatdozenten Ernst Bertram, Patenonkel Elisabeths, dem Übersetzer Hans Reisiger oder Bruno Walter und seiner Frau gingen Berühmtheiten ein und aus. Hugo von Hofmannsthal, Gerhart Hauptmann, mit zunehmendem Alter Erikas und Klaus' auch deren natürlich jüngere Entourage wie Erikas zeitweiliger Ehemann Gustaf Gründgens – die Liste war erlesen.

»Sehr wohlerzogen und geordnet« ging es bei solchen gemeinschaftlichen Essen zu, erzählt Elisabeth, die Autorität des Vaters habe unerzogenes Verhalten und Durcheinanderreden nie zugelassen. Nicht, daß es den Kindern untersagt gewesen wäre, bei der Konversation mitzutun; doch Respekt und Scheu disziplinierten. Elisabeth, ungewöhnlich schüchtern bis weit ins Erwachsenenleben hinein, sog begierig auf, worüber sich die Eltern und ihre Gäste unterhielten, auch wenn sie sich selber nur selten beteiligte: »Ich habe mich nicht getraut.« Auch bei rein familiären Essen hätten meist nur die beiden Ältesten mitgeredet, von ihren Reisen, Begegnungen und Abenteuern erzählt. »Sie waren so brillant und witzig, da konnte man einfach nicht mithalten.«

Elisabeth bewunderte ihre faszinierenden, sprühenden großen Geschwister, deren komödiantisch kecke Auftritte das Haus in eine Bühne verwandelten. Unumstritten waren sie die schillernden Stars unter den Geschwistern. Vor allem für die dreizehn Jahre ältere, hochgewachsene und aparte Erika schwärmte Elisabeth und war stolz, wenn sie dieser und deren Gästen, etwa der Schauspielerin Therese Giehse, nach dem Essen den Kaffee in Erikas Zimmer mahlen und noch ein wenig zuhören durfte. Drohte der Freund und Übersetzer Hans Feist Erika wieder einmal anzuschmachten, sollte die kleine Schwester, wie verabredet, so lange quengeln, bis ihr die vorgeblich enervierte Erika gestattete, in Gottes Namen noch etwas zu bleiben.

»Furchtbar nett« sei »die Eri« mit kleinen Kindern gewesen. »Sie hat Gedichtchen für uns gemacht, die wir bei festlichen Gelegenheiten aufsagen sollten, Rollen mit uns einstudiert, uns zum Lachen gebracht und vorgelesen. Sie war eine wunderbare ältere Schwester.« Der vierzehnjährigen Elisabeth und dem dreizehnjährigen Michael widmete sie 1932 ihr Kinderbuch »Stoffel fliegt übers Meer«: »Für Medi und Bibi, weil sie meine Geschwister sind, und weil sie es gerne wollten.«[68]

Auch Klaus hatte »Nummern«, mit denen er Elisabeth unterhielt. Sein Glanzstück war »das durstige Damenschnappen«, bei dem er eine feine Dame mimte, die durch permanente Gesprächseinwürfe und die von ihr erwartete Antwort vom Nippen an ihrem Tee abgehalten wird und immer hastiger, verzweifelter nach der Tasse schnappt. Am schönsten fand Elisabeth seine Imitation von Lula, der Schwester von Thomas Mann: »Die Zwillingsmädchen von Tante Lula waren oft sehr ungezogen, und Tante Lula fing an, sie traurig-vorwurfsvoll, ganz vornehm zu rügen mit den langsamen Worten: ›Wie könnt ihr mich denn so betrüben?‹ Das Ganze begann ruhig, wurde dann heftiger und schriller und endete schließlich in wüstem Geschrei und Ohrfeigen. Das mußte er uns immer wieder vormachen.«

Ein liebenswerter Bruder war auch Golo, neun Jahre älter, der vorgab, besonders für die von ihm so genannte »Prinzessin Dulala« zu schwärmen: Er küßte Elisabeth auf den Nacken, um jedesmal wieder ein verzückt-entsetztes: »Der Golo ist wii-derlich!« zu hören. Eine der seltenen körperlichen Zärtlichkeiten der Geschwister untereinander: »Das wäre uns peinlich gewesen.« Nach einem Zoobesuch, bei dem man auf der Namenstafel eines grimmigen Orang-Utan die Inschrift: »Golo – böser Einzelgänger« fand, übernahmen die anderen Geschwister dies als stehende Wendung. Vielleicht hatte er, zurückhaltend, vom exzentrischen Auftritt der gewandteren Großen und dem ihm streng erscheinenden Vater verunsichert, tatsächlich etwas von einem Einzelgänger. Selbstbewußte Plaudereien waren seine Sache nicht, eher schon das Erzählen gruseliger Geistergeschichten. Auch groteske Darbietungen: Auf der oberen Diele stand auf einem Empire-Bücherschrank eine Büste von Voltaire mit sonderbar breitem Grinsen, und wenn sich Elisabeths und Golos Blicke zufällig bei Tisch streiften, setzte er immer wieder unvermittelt Voltaires etwas irres Grinsen auf, aus heiterem Himmel, und erschreckte sie damit aufs Schönste.

Ein Außenseiter blieb Monika, acht Jahre älter als Elisabeth. Mit dieser Schwester, seltsam verloren zwischen genialischen Großen und verzärtelten Kleinen wie lange Zeit auch Golo, entwickelte sich zeitlebens kein wirklich nahes Verhältnis. Dünkelhaft sei Monika von früh auf gewesen, ein »Sonderling« und »schrecklich faul«.

Da die Manns ein offenes, lebhaftes Haus führten, brachten alle Kinder ihre Freunde mit. Elisabeth und Michael spielten mit gleichaltrigen Nachbarskindern, neuen Freunden aus dem »Vorschülchen«, in dessen kleinen Klassen sechs bis sieben Kinder aus der Bogenhausener Gesellschaft saßen, hatten aber bei aller Privilegiertheit keine Berührungsängste bei Begegnungen mit anderen Gesellschaftsschichten. Elisabeth erinnert sich an »ein Arbeiterkind vom Trupp, der vor unserem Haus Stauwerke gebaut hatte. Der

Reiter Josef kam dann immer zu uns ins Haus zum Spielen. Er ging in die Volksschule und war wegen drohender Läuse ganz glattrasiert, was uns sehr beeindruckt hat.«

Anders als die Älteren besuchte Elisabeth niemals ein Internat oder Landerziehungsheim; als einziges Kind blieb sie bis zur Heirat im Elternhaus. Ihre Schulzeit verlief, ebenfalls im Gegensatz zumindest zu Erika und Klaus, problemlos: Elisabeth ging gerne in die Schule und lernte leicht. Nach dem ersten Jahr Ausbildung bei einer Hauslehrerin und weiteren Jahren in einem Privatinstitut in Bogenhausen kam sie aufs Luisengymnasium am Münchener Hauptbahnhof. Mit dem Fahrrad war man eine gute halbe Stunde unterwegs.

Daß das begabte Mädchen die Tochter des Schriftstellers Thomas Mann war, der seit dem »Zauberberg« und dem Literaturnobelpreis 1929 Weltruhm erlangt hatte (das Telegramm mit der Benachrichtigung über die Verleihung durften »Medi« und »Bibi«, von der Mutter ermuntert, ins Arbeitszimmer tragen)[69], nahm man wohl zur Kenntnis. Einer Vorzugsbehandlung jedoch bedurfte sie gar nicht: Die gute Schülerin brillierte besonders in Latein. Kaum im Luisengymnasium angetreten, übersprang sie gleich eine Klasse, ein Erfolg, der sich später noch einmal wiederholte.

Ihre Passion galt vor allem der Musik. Wie ihre Geschwister nahm auch Elisabeth Klavierstunden (Golo mußte sich eine Weile an der Geige versuchen), was für eine Tochter aus großbürgerlichem Haus einfach zum guten Ton gehörte, und Elisabeth war keine Rebellin. Lodernde Begeisterung verspürte sie allerdings nicht gerade. Daran vermochten die abendlichen Grammophonstunden ebensowenig zu ändern wie die Opernbesuche. Das erste Werk, das Elisabeth sah, war der »Freischütz«, es folgte »Der fliegende Holländer«, dann das Offenbarungserlebnis: »Lohengrin«. Elisabeth war hingerissen. Mehrere hundertemal spielte sie sich zu Hause das Vorspiel auf dem Grammophon vor. Von da an begann

»Medi« (Elisabeth) und »Bibi« (Michael) mit den Eltern am Strand von Kampen, Sylt, 1927

sie, ernsthaft Klavier zu üben. Noch fehlte ihrem Üben die »obstinate Versessenheit«[70], die ihren Vater später an seiner Tochter irritieren sollte.

Und noch eine weitere große, wahrscheinlich sogar die größte Leidenschaft ihres Lebens hatte ihren Ursprung in Elisabeths Kindheit: die Liebe zum Meer. »Ich sehe mich noch«, schrieb sie im Vorwort zu ihrem Buch »Mit den Meeren leben«, einem Bericht an den Club of Rome: »… gegen Abend, es war kühl, und ich zitterte ein wenig; teils weil es kühl war, teils aus Erregung. Wir standen am Strand. Ich, etwa fünf Jahre, an der Hand meines Vaters, und mein kleiner Bruder Michael. Wir schauten aufs Meer hinaus – das erste Mal in unserem Leben.«[71] Ganz benommen blickte sie in die Ferne, auf den unendlichen Horizont, und sie erinnert sich, ihren Vater gefragt zu haben, was dahinter liege. »Der Horizont und dahinter wieder der Horizont«, antwortete er. Nur wenn man immer weiter rudere, bis ganz zuletzt, komme Land in Sicht. Doch um den Horizont dann wieder zu sehen, müsse man sich nur umdrehen.

Jeden Sommer fuhren Katia und Thomas Mann mit ihren Jüngsten ans Meer, während die Geschwister im Internat, auf Ausflügen oder, wie die Großen, auf Weltreise oder sonstigen Bohemien-Touren waren. Man besuchte die Ostsee, die Nordsee, fuhr ans Mittelmeer, nach Ischia, an die ligurische Küste. Den ganzen Tag verbrachten die Kinder am Strand, buddelten Sandburgen und gruben Wassertunnel, gingen schwimmen und sprangen in den Wellen herum. Ihre Mutter leistete ihnen dabei Gesellschaft, erzählt Elisabeth. »Sie schwamm wie ein Fisch, bis ins hohe Alter, während mein Vater kein starker Schwimmer war. Er ging nur an den Rand und hat sich so ein bißchen herangeplätschert. Eigentlich saß er lieber in seinem Strandkorb und schrieb.« Dies allerdings in seemännischer Kleidung mit weißer Hose und Kapitänsmütze …

In der Erzählung »Mario und der Zauberer« berichtet Thomas Mann von solchen Ferien am Meer in Italien. Das achtjährige Töchterchen, das dort »mager wie ein Spatz« nackt zum Wasser läuft, ihr sandstarrendes Trikot ausspült und mit dieser wenige Minuten währenden Bloßheit 1926 einen Sturm der moralischen Entrüstung auslöst, war die kleine Elisabeth.

Besonders liebte sie die Aufenthalte im Nidden-Haus auf der Kurischen Nehrung, das Thomas Mann sich nach dem Geldsegen von 1929 (das Nobel-Preisgeld betrug zweihunderttausend Reichsmark, nach heutiger Rechnung mehr als eine Million Mark)[72] hatte bauen lassen. Die Wälder begannen direkt am Haus, der Blick ging aufs Haff, und vorn, am Meer, erhoben sich große Dünen. Elisa-

Elisabeth im Alter von 13 Jahren

beth und Michael, noch immer unter dem Einfluß Karl Mays, spielten mit den Kindern der Umgebung Indianer und genossen es, bis auf die Anwesenheitspflicht zu den Mahlzeiten draußen umherstreifen und den würzigen Duft der Wälder, den Salzgeruch des Meeres atmen zu können.

In Nidden wehte die Familie aber auch der neue Wind an, den die Zeit mit sich brachte. 1931, als Klaus Mann seine Sommerferien dort verbrachte, sah er die Schüler der Segelfliegerschule von Rossitten, neben dem litauischen Nidden noch auf deutschem Gebiet gelegen, am stillen Strand: »Ihre Hemden und Sweater waren mit Hakenkreuzen geschmückt. Wir beobachteten ihre ungeschlachten, etwas tolpatschig-wilden Spiele in den Dünen, in den Meereswellen. Auch ihre Badehosen zeigten an prominenter Stelle das völkische Emblem.«[73]

Ein Jahr darauf, 1932, erhielt Thomas Mann per Post ein Päckchen, aus dem ihm verkohltes Papier entgegenfiel: der Rest eines »Buddenbrooks«-Exemplars, ihm vom Besitzer zur Strafe dafür zugestellt, daß er öffentlich vor dem drohenden Nazi-Verhängnis gewarnt hatte.[74] Mehrere Attentate hatten die Nationalsozialisten bereits verübt. Einmal, in diesem letzten Sommer in Nidden, seien Leute in auffällig städtischer Kleidung im Wald dem Ehepaar Mann bei seinem Spaziergang gefolgt. Von Katia barsch zur Rede gestellt, gaben sie sich scheu als harmlose belgische Journalisten zu erkennen. Aber man war, erzählte Katia, »damals wirklich auf alles gefaßt«.[75]

Wie erlebte Elisabeth den Einbruch der Politik in ihre behütete Kindheit? Sie war Kind eines Hauses, dessen Erziehung Weltoffenheit, Künstlertum und Toleranz prägten. Mit zwölf Jahren war sie als Jugendmitglied der antinationalsozialistischen »Paneuropa«-Vereinigung, Sektion München, beigetreten, der ihr Vater als Ehrenvorsitzender vorstand. Doch nicht seinetwegen: Der »Paneuropa«-Gründer Graf Richard Nikolaus Coudenhove-Kalergi hatte sie mit seinen Ausführungen im Elternhaus beeindruckt. Daß der Geist der neuen Zeit dem ihrer Familie in jeder Hinsicht zuwiderlief – der Familie, zu der jüdische Vorfahren gehörten, während ein homosexueller Bruder »antivölkische Decadence-Stücke« schrieb und der Vater für ein Bündnis zwischen Bürgertum und Sozialdemokratie gegen die Nationalsozialisten eintrat[76], das mußte ihr niemand erklären.

II Jugend im Exil

Als Elisabeth Deutschland im Frühjahr 1933 verließ, ahnte sie nicht, daß sie München erst 1948 wiedersehen würde, zerbombt und verwüstet. Nie hätte sich die Vierzehnjährige vorstellen mögen, daß die Familie nicht doch wieder in die Poschingerstraße zurückkehren könnte, nach einer gewissen Zeit, einem Sommer vielleicht, bis sich die neuen, barbarischen Zustände gelegt hätten. »Man hat halt angenommen, die Eltern bleiben ein bißchen draußen; das könne ja nicht dauern. Mein Vater hat lange gedacht, das sei ein Alptraum, der schnell vergehen werde.«

Der Alptraum hatte seine Schatten vorausgeworfen. Die wachsende Arbeitslosigkeit nach der Weltwirtschaftskrise 1929, die Instabilität der unablässig wechselnden Kabinette, deren Handlungsfähigkeit durch schwankende Mehrheiten gelähmt wurde – die Weimarer Republik schien am Ende zu sein. Immer wieder trieben Aufrufe die Menschen zu den Wahlurnen, und bei den von Reichskanzler Brüning nach einer abermaligen Auflösung des Reichstags angesetzten Neuwahlen gelang den Nationalsozialisten am 14. September 1930 mit über sechs Millionen Stimmen ein sensationeller Durchbruch. Sie wurden zur zweitstärksten Kraft im Parlament. Am 31. Juli 1932 schwangen sie sich zur stärksten

Fraktion im Reichstag auf: 14 Millionen Deutsche hatten die Partei Adolf Hitlers gewählt. Am 30. Januar 1933 schließlich wurde Hitler zum Reichskanzler ernannt.

»A Family against a Dictatorship«[1] – auf diese Formel brachte Klaus Mann einmal die Haltung seiner Familie: Die Manns waren Antifaschisten, früh. Thomas Mann hatte seit 1923 mit Entschiedenheit gegen den Nationalsozialismus Stellung bezogen.[2] Als herausragenden Vertreter der deutschen Kultur, als den ihn viele sahen, er selber eingeschlossen, widerte ihn die Vereinnahmung kultureller Traditionen des Landes an. Den deutschen »Fascismus« hielt er für »romantische Barbarei«[3]. Von seinen Überzeugungen zur Zeit des Ersten Weltkrieges weit entfernt, vertrat er seit den frühen zwanziger Jahren die Sache der Demokratie und bekannte sich offen zu den Sozialdemokraten.

Nach der Septemberwahl 1930 hielt er in Berlin seine »Deutsche Ansprache«, in der er das Bürgertum vor der NSDAP warnte und vom notwendigen Schulterschluß mit der SPD zu überzeugen versuchte. Nationalsozialisten störten die Rede mit Tumulten. Im Jahr 1932 engagierte er sich mit einem Wahlaufruf, in dem er den Nationalsozialismus als eine »Elendsmischung aus vermufften Seelentümern und Massenklamauk« bezeichnete, vor der »germanistische Oberlehrer als vor einer ›Volksbewegung‹ auf dem Bauch liegen, während sie ein Volksbetrug und Jugendverderb ohnegleichen ist, der sich umlügt in Revolution.« »Totschlagelust« stehe der gefährlichen Bewegung auf die Stirn geschrieben.[4]

Diesen realistischen Pessimismus teilte Thomas Mann mit seinem Bruder Heinrich, mit dem er sich längst wieder ausgesöhnt hatte. Heinrich, geradezu prophetisch, schrieb 1932: »Die Nationalsozialisten selbst können gar nicht voraussehen, wie viele sie umbringen müßten, wenn sie die Macht erobert hätten und auch behalten wollten. Sie unterschätzen ihr eigenes Blutbad.«[5]

Klaus war die brachiale Vulgarität des »Führers« schon bei einer zufälligen Begegnung in einem Münchener Lokal aufgefallen.[6] Wie Erika verfolgte er das politische Treiben in Deutschland mit Abscheu und Ekel, fühlte sich aber, nicht anders als viele Intellektuelle auch, in seiner persönlichen Freiheit lange nur wenig berührt. Beide setzten ihr flatterhaftes Leben zwischen New York und Berlin, der Riviera und München fort, und Klaus, der bereits die verführerische Süße der Drogen kennengelernt hatte, verfaßte Dramen und Romane, in denen er die Verlorenheit einer an Schönheit, Sinnlichkeit und Schwäche hingegebenen Generation beschrieb: die »Kindernovelle«, das Theaterstück »Revue zu Vieren«, den Roman »Treffpunkt im Unendlichen« und die erste Autobiographie »Kind dieser Zeit«. Erika spielte an verschiedenen Bühnen. Im Krisenjahr 1932, sie war 27 Jahre alt, Klaus knapp 26, entwickelte das politische Engagement der beiden dann eine Dynamik, die sie am Ende aus dem Land führen mußte. Die Schmähungen der Rechtspresse, die in den Mann-Kindern verkommene geistige Widersacher sah, legten echte Gehässigkeit an den Tag.

Nach einer pazifistischen Veranstaltung im Januar 1932 in München wurde die Rednerin Erika Mann im »Völkischen Beobachter« als »blasierter Lebejüngling« attackiert, der »blühenden Unsinn« über die deutsche Zukunft vorgetragen habe. »Das Kapitel ›Familie Mann‹ erweitert sich nachgerade zu einem Münchener Skandal, der auch zu gegebener Zeit seine Liquidierung finden muß«[7], drohte das Blatt. Als Klaus seine Schwester in einem Zeitungsartikel verteidigte, kassierte er eine unverhüllte Warnung des Nazi-Blatts »Die Brennessel«. Es gebe, hieß es dort, eine junge Generation, die ungeistig genug sei, Klaus Mann »einmal furchtbar auf die Pfoten zu klopfen. Doch Du brauchst keine Angst zu haben, Kläuschen, es wird mit dieser Feststellung kein Angriff auf Deinen zarten Knabenkörper geplant. Du wirst nur so nebenher vernascht. Grüß Erika ...«[8]

Erika allerdings erhielt 1932 kaum noch Engagements an deutschen Bühnen, der »Kampfbund für deutsche Kultur« fand es bei-

»Medi« mit dem Vater in den Winterferien, 1932

spielsweise unerträglich, daß die »berüchtigte Tochter eines berüchtigten Vaters« Heldinnen der deutschen Klassik spielen solle.[9] Daraufhin beschloß sie, ein politisch-literarisches Kabarett auf die Beine zu stellen: Die »Pfeffermühle« wurde am 1. Januar 1933 in München eröffnet, einen Monat vor Hitlers »Machtergreifung«. Wie nah der Zeitpunkt der Emigration inzwischen gerückt war, konnten die Manns nicht wissen.

Abschied von Deutschland

Am 10. Februar 1933 begleitete Elisabeth ihre Eltern ins Auditorium Maximum der Münchener Universität, wo Thomas Mann unter dem Applaus eines zahlreich erschienenen Publikums seine Vortragsreise über »Leiden und Größe Richard Wagners« eröffnete. Anschließend durfte die Vierzehnjährige mit den Eltern und dem Bruder Klaus zum ersten Mal die elegante Bar des Hotels »Vier Jahreszeiten« besuchen. Danach notierte Klaus im Tagebuch, die kleine Schwester sei bei ihrem Debut-Ausflug ins Nachtleben »sehr üsis« gewesen – der Familienjargon für süß und niedlich.[10] Tags darauf, an seinem Hochzeitstag, brach Thomas Mann mit Katia zu einer Wagner-Tournee nach Holland auf. Er sollte den Vortrag in Amsterdam, Brüssel und Paris wiederholen. Und er sollte erst 1949 wieder deutschen Boden betreten.

Um sich nach der Vortragsreise zu erholen, fuhren die Eltern Mann anschließend gemeinsam mit Elisabeth zu Ferientagen nach Arosa in die Schweiz. In diese Zeit fiel der Reichstagsbrand in Berlin am 27. Februar 1933. Die Schuld dafür wurde von den neuen Machthabern den Kommunisten zugeschoben, es kam zu Verfolgungen und Inhaftierungen. Am 5. März, erinnerte sich Katia, habe sie mit Elisabeth im Radio den Ausgang der Reichstagswahlen verfolgt, »wo doch bereits alle Kommunisten und viele Sozialdemokraten hinter Schloß und Riegel saßen«. Das ganze Hotel hatte sich vor dem Apparat versammelt und konnte hören, wie sich Katia Mann erregte: »Es ist doch überhaupt lächerlich! Das sind doch gar keine freien Wahlen. Die Opposition haben sie ja zum größten Teil eingesperrt.« Als einer der Hotelgäste sie warnte, sie möge sich doch in acht nehmen, entgegnete sie aufgebracht, sie brauche sich nicht in acht zu nehmen, »wir können sowieso nicht mehr zurück«. Und in ihren Erinnerungen fügt sie hinzu: »Wir konnten es auch nicht. Es wäre ganz undenkbar gewesen, aber mein Mann wollte es immer noch nicht ganz glauben.«[11]

Ein Anruf bei Erika und Klaus, gerade in München, bestätigte, daß sich die Eltern in Arosa derzeit besser befänden als daheim, wo, wie die Kinder verklausulierten, das Wetter wirklich ganz abscheulich sei und von einer Rückkehr dringend abzuraten… Tatsächlich war es auch in München zu Verhaftungen und Übergriffen gekommen. Elisabeth konnte ihren Eltern Bestürzung und Ratlosigkeit deutlich anmerken, doch ließen sie sich nicht zu kopfloser Panik hinreißen: »Dazu waren sie zu beherrscht.« Im sicheren Gefühl, die Situation sei kontrollierbar, drängte Elisabeth nach Hause. Sie hatte den Urlaub in der Schweiz genossen, das sportlich-ehrgeizige Skifahren unter blauem, klarem Himmel und die Ausflüge im Schnee, wollte aber unbedingt wieder die Schule besuchen. Noch war ihr die Endgültigkeit der Ereignisse ebensowenig klar wie den Eltern – oder wenigstens dem Vater. Der zeigte sich natürlich besorgt, hegte aber ebenso wie Katia noch immer die vage Hoffnung, in absehbarer Zeit nach München zurückkehren zu können. Zu Hause wachte bis dahin die treue Kurz Maria, das »Fräulein« Elisabeths und Michaels, über die häuslichen Geschäfte. Zusätzlich sollte Golo, abkommandiert von seinem Göttinger Studienort, in der Abwesenheit der Eltern in der Poschingerstraße nach dem Rechten sehen. So setzten Thomas und Katia Mann ihre jüngste Tochter am 18. März in Chur in den Zug. Elisabeth erinnert sich an einen schmerzlichen Abschied. Thomas Manns Tagebuch vermerkt: »In Tränen«.[12]

In München angelangt, konnte Elisabeth die nervösen Eltern zunächst beruhigen: Im Haus habe es keinen Zwischenfall, keine Nachfrage gegeben, in der Schule sei sie von Lehrern und Mitschülerinnen »aufs herzlichste«[13] aufgenommen worden. Doch schon tags darauf spürte sie, welch anderer Ton plötzlich herrschte. Die Tochter Thomas Manns, der inzwischen aus der gleichgeschalteten Akademie der Künste, Sektion Dichtkunst, ausgetreten war, wurde von ihren Lehrern »auf einmal viel distanzierter behandelt«. »Es hat mir«, erzählt sie, »einen kolossalen Schock versetzt, daß die Lehrer plötzlich das Gegenteil dessen predigten, was sie vor drei Wochen gesagt hatten. Mädchen, die für bestimmte Lehrer geschwärmt hatten, denunzierten sie jetzt im Braunen Haus, weil sie zu Beginn der Klasse nicht ›Heil Hitler‹ gesagt hatten... Ich war drei Wochen weg gewesen. Und plötzlich waren sie Nazis geworden. Ich fand die ganze Atmosphäre unerträglich.«

In der Schule, beklagte sie sich telefonisch bei den Eltern, übe man zu den »Freiheits- und Erhebungsfeierlichkeiten« das »Horst-Wessel-Lied« ein[14]. Eine jüdische Mitschülerin, Nicki Rosenthal, eng befreundet auch mit Elisabeths bester Freundin Rosi, der Enkelin von Oskar von Miller, saß nicht mehr an ihrem Platz – hellsichtig war die Familie emigriert.

Am 1. April kam dann der von Goebbels verordnete Boykott jüdischer Geschäfte, die gleichwohl gezwungen wurden, ihre Läden offenzuhalten. Bei einem Besuch des Patenonkels Ernst Bertram, der sich vom neuen Sog hatte mitreißen lassen, verstand dieser gar nicht, was Elisabeth an all dem denn »so scheußlich« fände; das Land sei frei; er könne sagen, was er wolle. Ja, entgegnete sie, »wenn man redet wie du...« Sie hatte zu häufig Gespräche über die Brutalität der Nationalsozialisten, deren Greuel in den späten zwanziger Jahren und die sukzessive Gleichschaltung der öffentlichen Meinung verfolgt, um die Situation zu verkennen. »Ich war schon damals politisch engagiert, nicht nur als Jugendmitglied von Pan-Europa. Die Angst, daß plötzlich unbekannte Leute vor der Tür ständen... Ich habe schon kapiert, was vorging.«

In einem derart veränderten München, dessen so leichtlebige, tolerante Luft nahezu über Nacht schneidend geworden war, mochte Elisabeth nun unter keinen Umständen mehr bleiben. Nach nur zwei Wochen wollte sie weg, zu den Eltern, die mittlerweile in Lugano logierten. Die Kurz Maria erfaßte die Lage, sie weinte. »Du kommst bestimmt nie wieder.« Elisabeth selbst grübelte darüber nicht nach. »Es war kein sentimentaler Abschied«, berichtet sie. »Ich war froh, daß ich rauskam – jetzt. Weiter hat man nicht gedacht.«

Von ihren Freundinnen verabschiedete Elisabeth sich nicht. »Das wäre dumm gewesen. Wir hatten ohnehin Angst, daß sie uns nicht herausließen« – gerade hatten die Behörden die Ausreiseerschwernis im ganzen Reich eingeführt. Doch Golo brachte Elisabeth Anfang April mit dem Ausflugsdampfer sicher über den Bodensee. Beide konnten sich der Aufregung nicht erwehren und verspürten große »Erleichterung, anstatt der Hakenkreuzfahne das Schweizerkreuz zu sehen«.[15] So erreichten sie Schweizer Boden. Am 3. April konnte Thomas Mann seine Medi auf dem Bahnhof in Lugano endlich wieder in die Arme schließen.

Er muß heilfroh gewesen sein, sie bei sich zu wissen. Denn allmählich zeichnete sich immer deutlicher ab, daß eine Rückkehr für ihn und Katia absolut ausgeschlossen war. Mitte April erschien ein »Protest der Richard-Wagner-Stadt München« gegen seinen Wagner-Vortrag als offener Brief in der Zeitung, gezeichnet von fast allen, die in München Rang und Namen besaßen, darunter dem Präsidenten der Akademie der bildenden Künste, Richard Strauss, dem bayrischen Kulturminister. Man lasse, hieß es in dem Hetzartikel, sich das deutsche Musikgenie doch nicht vom »ästhetisierenden Snobismus« eines Thomas Mann verunglimpfen... Ein absurder, ein dummer Vorwurf, wie sich Katia noch Jahrzehnte später empörte, hatte ihr Mann doch »sein ganzes Leben mehr oder weniger im Einfluß von Richard Wagner gestanden«.[16] Gleichwohl: Es wurde Stimmung gemacht gegen Thomas Mann.

Elisabeth ihrerseits war glücklich, dem düster-beklemmenden München entronnen und bei ihrer Familie zu sein, und das schöne Hotel Villa Castagnola am Ortsrand Luganos, nahe dem See, bot wenn schon kein Zuhause, so doch gewohnte Behaglichkeit. Im Tessin brach der Frühling an. In den nächsten Wochen spielte sie Tennis, besuchte mit Michael, »sorglos und schmuck«, wie Thomas Mann notierte[17], Konzerte im Städtchen. Überhaupt fand er Gefallen am »anmutigen Ernst«[18] ihres Gesichts, herb, doch mit schön geschwungenem Mund. Arm in Arm gingen beide flanieren, oft »die Zukunft besprechend«, oder zusammen in den Ort, wenn er Nachschub an Zigarren und Beruhigungsmitteln brauchte. Zugleich unternahm Elisabeth ausgedehnte Spaziergänge in den Bergen, zusammen mit Ninon Hesse, der Frau Hermann Hesses. Der Freund Thomas Manns wohnte nur wenige Autominuten von Lugano entfernt im Bergdörfchen Montagnola.

Doch wie sollte es weitergehen? Die Eltern berieten sich politisch mit Gleichgesinnten wie dem befreundeten Autor Bruno Frank, seiner Frau und deren Mutter Fritzi Massary, der Operettendiva der Weimarer Republik, die sich ebenfalls in Lugano aufhielten, sowie dem Ehepaar Hesse. Die private Lage erörterten sie mit den mittlerweile eingetroffenen älteren Kindern beim Tee im Salon der Villa Castagnola. Vor allem Erika wuchs nun in die Rolle der patenten Organisatorin.

Man beschloß, den Sommer in Südfrankreich zu verbringen. Dort ließ sich ein Haus mieten, eine Chance, durch äußere Konsolidierung des Haushalts wieder seelische Balance und Ruhe herzustellen. Ende April packten Erika und Klaus daher die jüngsten

DEFENSE DE MONTER

Geschwister Elisabeth und Michael in Erikas Ford und fuhren mit ihnen nach Le Lavandou, einem Mittelmeerörtchen an der französischen Riviera. Die Eltern sollten später hinzustoßen. Am Tag nach der Abfahrt, entsinnt sich Elisabeth, feierte sie ihren fünfzehnten Geburtstag; es war ein abenteuerliches Fest. Die kleine Reisegruppe war in Nizza angelangt, wo sich das Geburtstagskind wenigstens etwas Schokolade und, weit wichtiger, einen Klavierauszug von »Aida« kaufen durfte. Klaus erinnert sich im Tagebuch an das während der Fahrt mehrfach aufgeschnappte Schimpfwort »boches«.

In Le Lavandou angelangt, im Hotel »Les Roches Fleuries«, schrieb Elisabeth ihren Eltern, sie fange an Französisch zu lernen und werde auch wieder Klavier üben, wenn das bestellte Instrument eingetroffen sei. Und: »Ich lese gerade Herrnpapales Wagner-Aufsatz in der Rundschau. Ich glaube, daß ich ihn ganz gut verstehe. Auf alle Fälle finde ich ihn wunderbar.«[19] Trost für den achtundfünfzigjährigen Vater, dessen Nervenkostüm damals den Erschütterungen kaum mehr standhielt. Die Stimmung Thomas Manns schwankte zwischen Vorsicht, Verwirrung, Verzweiflung. Und im Lauf des Frühling und Sommer 1933 sollten sich seine Befürchtungen weiter bewahrheiten: In München kam es zur Haussuchung, zur Beschlagnahme des Vermögens sowie der Poschingerstraße selbst, außerdem zur Ausstellung eines Schutzhaftbefehls; eine Rückkehr hätte ihn ins Gefängnis gebracht.[20] Die Emigration kostete ihn mithin etwa die Hälfte seines Vermögens. Dennoch drohten der Familie im Exil keine finanziellen Sorgen. Golo Mann hatte noch Gelder abheben können, ein Teil der Nobelpreis-Summe war in der Schweiz deponiert, der Fischer-Verlag zahlte weiterhin. Außerdem gab es von Zeit zu Zeit neuen Hoffnungsschimmer: Immer wieder sah es so aus, als verspreche das

Mit dem Bruder Michael in Südfrankreich, 1936

juristische Feilschen um Paßverlängerung, Haus, Auto und Möbel doch einen gewissen Erfolg. Grund genug, sich politisch zurückzuhalten. Die Ungewißheit indessen zerrte an den Nerven.

So begann in Südfrankreich, was Golo einen »wunderlichen, so sehr provisorischen Sommer« nannte[21]. Das sich bereits erwärmende Meer und laue, nach Pinien duftende Frühlingsluft lenkten ab, spülten von der Bedrückung der letzten Wochen immerhin einen Teil hinweg. Selbst Thomas Mann atmete leichter in der mediterranen Milde. Angesichts eines beeindruckenden Regenbogens, der sich über die blaue Bucht spannte, sang er für Elisabeth sogar »den Rheingold-Schluß, wie ich (ihn) schon früher, angesichts des Meerschloßartigen des Hotels, zitiert hatte: ›Bin ich in Cornwall? – Nicht doch, in Kareol!‹«[22].

Ihren ersten wirklichen Ankerplatz fanden die Manns dann im südfranzösischen Sanary-sur-Mer, einem Ort an der Côte d'Azur. Dort hatten sie ein Haus mit dem hoffnungsvollen Namen »La Tranquille« entdeckt, in dem sie von Juni bis September 1933 nach den Monaten im Hotel endlich wieder privates Quartier nehmen konnten. Tatsächlich kehrte im Haus über den Klippen allmählich so etwas wie jener »gleichmäßige Alltag« ein, nach dem sich Thomas Mann so gesehnt hatte.[23] Einheimisches Personal assistierte in der Küche, zusätzlich war aus München eines der Hausmädchen eingetroffen.[24] Thomas Mann fing wieder an, an den »Joseph«-Romanen zu arbeiten – die Manuskripte hatte Erika in letzter Minute unter abenteuerlichen Umständen aus der Poschingerstraße gerettet.[25] Es beruhigte die Eltern zudem, Monika, Golo und die beiden jüngsten Kinder bei sich zu haben. Elisabeth übte täglich Klavier, der Bruder Geige. Es sah so aus, als strebe Michael wie Monika eine musikalische Karriere an, und Thomas Mann verfolgte seine Fortschritte mit Stolz.[26] Auch Golo stand ihm zu dieser Zeit besonders nahe. Der Historiker beeindruckte den Vater durch »gute politische Kenntnisse«.[27] Nur die Zuneigung zu Elisabeth beruhte auf keiner besonderen Leistung: Thomas Mann freute sich, wenn sie mit ihm spazierenging, Tee trank oder Karten spielte.

Sanary-sur-Mer galt nicht wirklich als provenzalisches Kaff. Ludwig Marcuse nannte den Ort die »Hauptstadt der deutschen Exilliteratur«. Viele alte Bekannte hatten sich hierhin geflüchtet und inzwischen war auch Heinrich mit seiner Lebensgefährtin Nelly Kröger da. Anders als die Schriften seines Bruders wurden Heinrich Manns Werke in Deutschland nicht mehr geduldet: Die Nazis hatten sie bei der Bücherverbrennung im Mai 1933 den Flammen übergeben. Der Vertraute Bruno Frank und seine Frau Liesl, Schriftsteller René Schickele, die alte Münchener Freundin Annette Kolb, Franz Werfel, Lion Feuchtwanger und seine Frau Marta lebten hier in Südfrankreich, Stefan Zweig, Bertolt Brecht zumindest für einige Zeit. Es gab Teebesuche und Einladungen, und als am fünfzigsten Geburtstag von René Schickele jemand in Sanary beim Essen sagte: Ach, was wäre dieser Tag wohl in Berlin für ein großes Fest gewesen; erwiderte Katia Mann bestimmt: »Besser könnte die Gesellschaft dort auch nicht sein.«[28]

Im Rückblick erscheinen Elisabeth diese Monate am südfranzösischen Meer wie eine unverhoffte, ausgedehnte Ferienzeit, obwohl die Eltern darauf achteten, daß die Jüngsten so ganz ohne Unterricht nicht verwahrlosten. Golo erteilte der Schwester Latein- und Geschichtsstunden, »und wir haben den ›Wallenstein‹ gelesen«. Die heißen Tage verbrachte sie am Meer, ohne die Zukunftsängste der Erwachsenen: »Wir Kinder waren ganz vergnügt, machten am Strand die Leute nach. Eine rauschgiftabhängige Frau Marchesani haben wir nur ›Madame Morphesani‹ genannt, und wenn die Mademoiselle uns in der Französischstunde vorsprach, haben wir Lachkrämpfe bekommen. Wir sind mit den Eltern spazierengegangen, es wurde vorgelesen, und Michael und ich haben viel Musik geübt. Wenn Onkel Heinrich da war, mußten wir immer sein Lieblingsstück geben: die Cavatina von Raff.«

Im übrigen erschien Heinrich Mann seiner Nichte »sehr distanziert«. »Er sprach langsam und ausführlich und neigte dazu, uns Kinder zu siezen.« Seine Lebensgefährtin und spätere Frau Nelly Kröger kam bei den Manns nicht gut an; die ehemalige Bardame, blond und üppig, galt als typische »Heinrich-Braut«, und ihre Taktlosigkeiten führten bisweilen zu Peinlichkeiten, erzählt Elisabeth. »Sie war verloddert, versoffen, lästig und vulgär. Einmal war sie, das war schon in Kalifornien, bei Tisch so betrunken, daß sie dem Hund gestattete, sich unzüchtig an ihr zu reiben.« Thomas Mann sei vor Ekel außer sich geraten.

Beinahe allabendlich traf die Emigrantenszene zusammen, in privaten Häusern oder Cafés. Man beriet sich in der schwebenden Atmosphäre politischer wie privater Unsicherheit, in der den Exilanten nur die gemeinsame Ablehnung des Dritten Reiches Halt gab. Elisabeth begleitete ihre Eltern mitunter bei solchen Besuchen, ging aber abends auch mit Michael auf eigene Faust in die malerischen Cafés des Ortes. »Dort«, sagt sie, »traf man Leute und hörte ihnen zu. Das hat das politische Bewußtsein sehr geschärft. Aber den größten Einfluß hatte wohl doch die Familie.«

Doch das mediterrane Zwischenspiel ging trotz allem seinem Ende entgegen. Thomas Mann sehnte sich nach dem deutschen Sprachraum, und die Jüngsten sollten nach einem seltsam freien Sommer, den ein Regime der Unfreiheit ihnen geschenkt hatte, wieder die Schule besuchen. Die Wahl fiel auf Zürich.

Die zweite Heimat

»Ich bin nicht in Deutschland erwachsen geworden, und so habe ich zu München noch heute ein etwas schizophrenes Verhältnis.« Für Elisabeth Mann bleibt Zürich am ehesten ihre Heimatstadt. Die prägenden Jahre der Adoleszenz, zwischen dem fünfzehnten

Als junges Mädchen in Küsnacht bei Zürich, 1929

und zwanzigsten Lebensjahr, verbrachte sie in der Schweiz, mit der sie daher die wichtigsten Eindrücke ihrer Jungmädchenzeit verbindet. Zweifellos beschleunigte die Emigration ihr Erwachsenwerden: Der gesellschaftliche Umgang der Familie mit exilierten Schriftstellern und Künstlern, die permanente Präsenz von Politik in ihrem jungen Leben trieb ihre intellektuelle Reife sichtlich voran. Vor den emotionalen Komplikationen und Verletzungen dieser Lebensetappe schützte sie dies allerdings nicht.

Fünf Jahre lang, von 1933 bis 1938, lebten Thomas Mann und die Seinen im etwa eine halbe Stunde von Zürich entfernt gelegenen Küsnacht. Die neue Zuflucht in der Schiedhaldenstraße 33 bestach durch eine schöne Hanglage, Blick über den See und einen verwilderten Garten.[29] Die älteren Kinder waren jetzt aus dem Haus: Erika hatte ihr Kabarett, die »Pfeffermühle«, in Zürich wiedereröffnet und ging damit auf Tournee, Klaus gab in Holland beim Querido-Verlag die ehrenhafte Exil-Zeitschrift »Die Sammlung« heraus, die er mit seinem Onkel Heinrich, André Gide und Aldous Huxley gegründet hatte. Golo wiederum unterrichtete in einem Seminar im französischen St. Cloud, später an der Universität Rennes, als Lehrer, und Monika setzte ihre Musik-Studien in Italien fort. Nur Elisabeth und Michael lebten noch bei den Eltern. Michael absolvierte am Züricher Konservatorium eine Ausbildung als Violinist und Bratschist, und auch Elisabeth hatte sich ernsthaft eine Musikerkarriere in den Kopf gesetzt: Sie träumte von gemeinsamen Konzerten mit dem Bruder. Neben dem Freien Gymnasium in Zürich (wo sie aufgrund ihrer Vorkenntnisse noch einmal eine Klasse überspringen konnte) besuchte sie das Konservatorium, um sich zur Konzertpianistin ausbilden zu lassen.

Das tägliche Üben der beiden – Elisabeth spielte phasenweise bis zu acht Stunden am Tag – ging Thomas Mann oft gehörig auf die Nerven, zumal er nur dem Sohn die nötige Begabung für eine musikalische Berufsausbildung zutraute.[30] Elisabeth bekam wiederholt zu hören, daß Mädchen hierfür nicht geschaffen seien, und Katia und Thomas achteten streng darauf, daß sie ihre Schularbeiten über dem Klavierspiel nicht vernachlässigte ... anders als bei Michael, dessen schulische Verpflichtungen bald hinter seiner musikalischen Begabung in Vergessenheit gerieten.

Also gewöhnte sich Elisabeth an, gegen vier Uhr morgens aufzustehen. Dann erledigte sie schulische Pflichten; vor allem aber begann sie, sich in das Geschlechter-Thema einzulesen. Die apodiktische Einordnung angeblich typischer Fakten – ernster Blick bei Jungen, mangelnde Musik-Begabung bei Mädchen! – in die Geschlechterzugehörigkeit fand sie höchst ungerecht. Ihre privat-wissenschaftlichen Forschungen führten sie vom Werk des Schweizer Rechtshistorikers Bachofen, ein »Riesenwälzer, an dem ich ein Jahr gelesen habe« über »Frauenrechtler-Sachen und viel Biologie zur Philosophie: Sokrates, Plato, Aristoteles, Schopenhauer und Nietzsche. Ich wollte mir erklären, was dahintersteckt, wenn einer für oder gegen Frauen-Beteiligung ist. Und da gab es viel zu lesen.«

Thomas Mann nahm von all dem durchaus mit Interesse, vielleicht etwas verwundert und amüsiert, Notiz, wie sich Elisabeth erinnert. Insbesondere aber legte er Wert auf die Rückkehr routinierter Regelmäßigkeit in seinem eigenen Leben, weil er sich wieder ganz aufs Schreiben konzentrieren wollte. Er arbeitete am dritten Band der Joseph-Tetralogie, wovon er durch die Emigration und die damit einhergehende Depression lange Monate abgehalten worden war. Immerhin verdankte er einer gnädigen Wendung des Schicksals, daß viele geliebte Münchener Möbel auf Umwegen in seinen Besitz zurückgefunden hatten, der schwere Schreibtisch, sein Empirefauteuil, der Musikapparat, Bestandteile der reichen Bibliothek, einige Gemälde wie ein Lenbach und ein Portrait der kleinen Elisabeth.

Innerlich allerdings herrschte keine Ruhe. Politisch scheute Mann noch immer die klare Abkehr vom Dritten Reich: Er sah sich als geehrten Vertreter deutscher Kultur, nicht als Oppositionellen, litt unter dem Exil und betrachtete diese unangemessene Lebensform als »schweren Stil- und Schicksalsfehler« seines Lebens. Das Märtyrertum des Emigranten widerstrebte ihm.[31]

Außerdem wollte er nicht riskieren, daß die Joseph-Romane nicht in Deutschland erscheinen dürften. Noch publizierte der Fischer Verlag ungehindert seine Bücher. Die kämpferischen großen Kinder mußte sein Schweigen brüskieren, zumal Klaus, als er ihn als Mitarbeiter bei der »Sammlung« gewinnen wollte, eine Absage erhielt – eine Ohrfeige. Weit radikaler als der Vater hatte er sich von Deutschland gelöst. Jetzt beschwor er ihn, keine Rücksicht mehr auf den »deutschen Markt« zu nehmen. Er solle ein Zeichen setzen: »Einem Land, das man mit Abscheu verläßt, vertraut man doch nicht sein schönstes Gut an.«[32] Thomas Mann hielt dagegen, wenn das deutsche Publikum seine im hebräischen Mythos angesiedelten Joseph-Romane ungehindert lesen dürfe, sei dies ein größerer Sieg über die Diktatur »als ein ganzer Stoß Emigranten-Polemik«.[33] Hinzu kam, daß auch der Verleger Gottfried Bermann Fischer auf sein stärkstes Zugpferd einredete, dieser möge doch endlich die renitenten Kinder Klaus und Erika mäßigen, weil deren politische Äußerungen die Stellung des Vaters in Deutschland gefährdeten. Tatsächlich distanzierte sich Thomas Mann nach Erscheinen der ersten, scharfen Ausgabe der »Sammlung« im Herbst 1933 mit einem Schreiben vom eigenen Sohn. Klaus fühlte sich im Stich gelassen, vermied aber trotz der Enttäuschung den Bruch. In Anbetracht seiner Labilität, der Drogenabhängigkeit und zunehmenden Todessehnsucht, war die Schwächung seines wichtigen Projekts aber nicht von Vorteil.

Erika hingegen teilte die Position von Klaus. Wie dieser setzte auch sie ihrem Vater immer wieder hart zu, endlich dem besseren, nämlich exilierten Deutschland den Rücken zu stärken. Sie konnte sich dies erlauben, denn das Vater-Tochter-Verhältnis, ohnehin stets besonders eng, hatte sich mit den Jahren noch vertieft, und Erika wußte sich, anders als Klaus, vom Vater von jeher geliebt, ja bewundert. Auch verstand sie dessen Konflikt besser als Klaus. Dennoch entzündete sich an dieser Frage ein schon bald gefährlicher Familienzwist.

Immer, besonders aber zu jener Zeit, blickte Thomas Mann mit Stolz auf Erika, sein »kühnes und herrliches Kind«. Anläßlich der erfolgreichen Premiere der »Pfeffermühle« Ende September 1933 in Zürich notierte er im Tagebuch, das Lokal sei überfüllt gewesen, Erika überwältigend. »Nervöse Rührung« habe ihn bei ihrem Vortrag ergriffen: »Das verschleiert Schmerzliche und Zarte, das den Hintergrund bildet, ließ mehrfach meine Augen naß werden.«[34] Deutlich genug, doch immer indirekt, um das Gastgeber-Land nicht zu kompromittieren, mußten die Akteure der »Pfeffermühle« ihre antifaschistischen Attacken in Märchen und Parabeln kleiden[35]. So bedauerte Erika im Pierrot-Kostüm: »Kalt ist die Welt, – sie macht sich nichts zu wissen, / Von dem und jenem, was es leider gibt. Gleichgültigkeit, dies kühlste Ruhekissen, / Ist sehr gefragt und allgemein beliebt.« [36] Und der Vater applaudierte ihrer Unerschrokkenheit: Es wäre ihm nicht in den Sinn gekommen, sie um opportune Zurückhaltung zu bitten. Tatsächlich wurde Erika Mann 1935, ein Jahr nachdem Klaus die deutsche Staatsbürgerschaft verloren hatte, als Urheberin der »deutschfeindlichen Pfeffermühle« aus Deutschland ausgebürgert.[37]

Wie zu Poschingerstraße-Zeiten stellten sich auch nun wieder Freunde von Klaus und Erika als häufige Gäste im Elternhaus ein, vor allem Erikas Ensemble-Mitglieder Therese Giehse, die bayerische Schauspielerin, und der baltische Komponist Magnus Henning. Therese Giehse, auf den ersten Blick dick und resolut, zugleich von außerordentlicher Sensibilität, war eine Hauptsäule der »Pfeffermühle«. Bald erwarb sie sich den Rang eines Familienmitgliedes, während Henning seinen Gastgeber Thomas Mann, der

Das älteste Geschwisterpaar Klaus und Erika

ein ungemein dankbares Publikum gab, gern mit in baltischem Singsang vorgetragenen Anekdoten amüsierte: Daß Erika, damals etwa dreißig Jahre alt, mit beiden ein intimes Verhältnis unterhielt, wußte auch Elisabeth; gesprochen wurde darüber indes nie, höchstens in üblicher Ironie. Die Eltern Mann, so die stehende Wendung im Haus, seien so tolerant, daß höchstens ein Gedeck mehr aufgelegt werde, falls es Erika einfallen sollte, eine Eule mitzubringen. Fortan hießen die Liebschaften der Kinder nur »die Eulen«.

Auch Annemarie Schwarzenbach, selber Schriftstellerin, saß zu jener Zeit oft am Tisch der Manns. Die Schweizer Fabrikantentochter, gleichermaßen mit Klaus wie Erika befreundet, finanzierte zum Entsetzen ihrer national-konservativen Familie »Die Sammlung« mit. Sie teilte mit Klaus ohnehin die politische Haltung, außerdem aber die Drogensucht, die homosexuelle Veranlagung und am Ende das Schicksal, in der Liebe kein dauerhaftes Glück zu finden. Lange Jahre blieb Erika ihre unerfüllte Passion.

Elisabeth erschien der Umgang mit diesen wesentlich Älteren selbstverständlich. Zürich war damals ein Sammelbecken deutscher, italienischer, später österreichischer Refugiés, die Atmosphäre befruchtend und lebhaft. Kam Klaus auf Stippvisite, nahm er seine Schwester ins Kino mit, ins »Corso«-Theater, in Lokale, wo sich die Literatur- und Künstlerszene traf. Auch schloß sich Elisabeth den Theaterfreunden Erikas an: »Abends ging man immer mit den Schauspielern ins Café. Ich fand das herrlich.« Vor allem die mütterliche Giehse – »eine Prachtperson, die Theres« – nahm sich Elisabeths an. Außerdem schätzte sie besonders Leonhard Frank, kannte ihn auch persönlich aus der Züricher Emigrantenszene und als Gast der Eltern im offenen Küsnachter Haus, genauso wie den Schriftsteller Bernhard von Brentano, den direkten Nachbarn und Schachpartner, wie Ignazio Silone, den Hauptvertreter der italienischen Emigration und Autor von »Brot und Wein«, dessen Lektüre Elisabeth zum Italienischlernen animierte, wie

Hermann Broch oder Erich von Kahler, den 1933 emigrierten Kulturphilosophen, mit dem Thomas Mann sich im Exil mehr und mehr anfreundete.

Das Privileg, im intellektuell-prominenten Umfeld der Familie mitspazieren zu dürfen, hätte so manch verwöhnter höherer Tochter leicht den Kopf verdreht. Elisabeth, scheu und orientierungswillig, neigte aber kaum zu Eitelkeit: »Wir haben das gern gehabt, aber es war uns nicht bewußt, wie ungewöhnlich solch ein Bekanntenkreis ist.«

Gleichzeitig hatte sie in Zürich jedoch auch eigene Freunde in ihrem Alter gefunden. Da war Heiner Hesse, Hermann Hesses Sohn, da gab es Kollegen vom Züricher Konservatorium, vor allem den angehenden Pianisten Nico Kaufmann. Zur Freundin entwikkelte sich rasch Gret Moser, die Schulkameradin, mit der sie am Gymnasium gemeinsam die Aufnahmeprüfung bestehen mußte, weil sie beide neu am Freien Gymnasium waren. Elisabeth, der Latein »kolossal leicht fiel«, schien die Übersetzung ein Kinderspiel zu sein, während Gret kämpfte. Elisabeth aber gelang es, der verzweifelten Fremden während einer Pause die Lösung auf der Toilette zuzustecken. Von da an war man befreundet und zog, weil Michael dazustieß, bald zu dritt umher. Michael und Gret verliebten sich recht schnell ineinander. Als Elisabeth dann zum achtzehnten Geburtstag ein eigenes Auto geschenkt bekam, kurvten die drei damit durch Europa. »Das Wunder«, so genannt, weil ebenso alt wie Medi und immer noch fahrtüchtig, mußte von Elisabeth erst instand gesetzt werden. So lernte sie, wie man den Motor auseinander- und wieder zusammenbaute, wie man aus der Gepäckklappe zwei Notsitze bastelte und wie man mit dem Vergaser umging: »Ich konnte alles.« Rot gestrichen, chauffierte die Karosse die Geschwister mit Gret einmal nach Südfrankreich, wo Michael alles Reisegeld im Spielcasino verjubelte; daraufhin mußte man in Nizza mit rasch arrangierten Konzerten die Rückfahrt finanzieren.

Musikbegeisterung nämlich verband den jugendlichen Freundeskreis. Fast jeden Tag, erzählt Elisabeth, seien sie in Zürich ins Konzert gegangen. »Wir sind durch den Künstlereingang mit dem Orchester hinein, dann auf einem Stehplatz gestanden, ohne Billett, und nach der Pause hat man schon irgendeinen Platz gefunden. Gezahlt haben wir nie. Aber das haben viele Musikschüler so gemacht.«

Nico Kaufmann verdankt Elisabeth auch eine Begegnung mit Vladimir Horowitz, der ihr ein paar unvergeßliche Klavierstunden erteilte. Die guten Beziehungen der prominenten Eltern verschafften ihr zudem das Privileg, einige Stunden bei Rudolf Serkin nehmen zu dürfen. Der aus Deutschland emigrierte Pianist lebte und konzertierte mit Adolf Busch, dessen Tochter er geheiratet hatte, in Basel. Dorthin radelten Elisabeth und Michael von Zürich aus, um ihr Repertoire für Geige und Klavier um Sonaten von Mozart und Beethoven zu erweitern. Die Radltour war natürlich eine »ziemliche Strapaze«, doch in den Augen der angehenden Pianistin die Mühe wert. Sie scheute ja auch kein Weckerläuten um vier, um acht Stunden Klavierüben in ihrem täglichen Pensum unterzubringen.

Die Gefahr freudlosen Strebertums blieb gleichwohl gering. Waren die Eltern aus dem Haus, luden Elisabeth und Michael zu improvisierten Partys ein: »Damals fanden in der Schweiz ja Verdunklungsübungen statt, und die gaben herrliche Anlässe zu Festen mit nur sehr geringer Beleuchtung. Wir haben uns auch sonst gerne die Nächte um die Ohren geschlagen, vielleicht nicht in Lokalen, aber doch bei Nico oder anderen Freunden. Ich kann mich erinnern, daß im Winter morgens schon die ersten Skiläufer wegfuhren, wenn wir heimkamen. Da fühlte man sich recht grau und dreckig.«

Versuchten die kleinen Geschwister, den Lifestyle der bewunderten Großen mit bohemehaften Festen und unkonventionellen

Abenteuerreisen zu imitieren? Klaus kam es hin und wieder so vor. Im Tagebuch schrieb er, die achtzehnjährige Elisabeth und der siebzehnjährige Michael vermittelten ihm das »stets etwas peinliche Gefühl, daß sie unsere Vergangenheit – und Gegenwart – kopieren«[38]. Solche Nachahmungslust entwickelte namentlich Michael, ohnehin unstet und von eher unberechenbarem, reizbarem Temperament. Ihm mußte der besorgte Klaus dringend davon abraten, sich mit Drogen einzulassen[39] – und er wußte, wovon er sprach.

Dennoch: Es mochte Imitationen juveniler Vergnügungen geben, die fast besessene Konzentration auf die Musik grenzte die jüngsten Mann-Kinder doch deutlich von ihren älteren Geschwistern ab, die mit dergleichen weniger zu schaffen hatten. Daß die Kleinen sich umgekehrt in Fremdsprachen schwertaten, von klassischer deutscher Literatur nicht allzuviel und zeitgenössischer kaum viel mehr verstanden, riß die gebildeteren, kosmopolitischen Großen zu spöttisch-empörten Ausrufen über »die Barbaren« hin. Etwas altklug notierte Klaus Mann 1936 denn auch, er habe mit Annemarie Schwarzenbach darüber philosophiert, daß »die uns nachfolgende Generation (die heute Sechzehn– bis Zwanzigjährigen) so erschreckend ungeistig, dekonzentriert und desinteressiert« seien. Als Beispiele fielen ihm neben anderen ein: »Medi-Bibi – ja, auch sie«.[40]

»Und es stimmte«, bestätigt Elisabeth, »wir kannten uns mit der deutschen Literatur nicht so gut aus wie die Großen. Es ist ja komisch, zwischen uns lagen nur zwölf Jahre, aber es war eine andere Generation. Sie sind noch ganz in Deutschland erwachsen geworden, wir erst im Exil. Mit der Musik zogen wir uns in unsere eigene Welt zurück.«

Der Musik galt Elisabeths Liebe, aber wie viele Lieben trägt auch diese Züge einer Flucht. Elisabeth war von den Wirrnissen der Pubertät nicht verschont geblieben. Mochten Berühmtheiten im Haus Mann einander die Türklinke in die Hand geben und zum vertrauten Anblick bei Tisch werden, mochten Philosophen wie von Kahler sich freundlich mit dem Mädchen unterhalten, gestandene Frauen wie die Giehse sich ihrer mütterlich annehmen, es stärkte das schwache Ego Elisabeths nur wenig. Der Rückzug an die Tasten und die Erfolge beim disziplinierten Üben haben manches aufgewogen.

Noch heute sieht sich Elisabeth als »das Kind mit dem geringsten Selbstbewußtsein«. Bemühte sich ein junger Mann um sie, wie Grets Bruder Hans oder ihr Freund Nico Kaufmann, vermutete sie, »mit dem könne etwas nicht stimmen«. »Wahnsinnig schüchtern« sei sie gewesen; sollte sie am Konservatorium vorspielen, packte sie blanke Panik. »Es war katastrophal. Nur gemeinsam mit Michael ging es einigermaßen. Aber sonst empfand ich das Vorspielen als Qual, was mit ein Grund dafür war, daß ich dergleichen nie beruflich ausüben wollte.« Stellten sich im Küsnachter Haus Gäste mit großem Namen ein, saß Elisabeth oft übernervös an ihrem Platz, ohne ein Wort oder einen Bissen über die Lippen zu bekommen. »Ich habe mich einfach nicht getraut, mitzureden. Die anderen haben soviel mehr gewußt.« Sobald sie aber, wie es nach Erhalt des Führerscheins ihre gern erfüllte Aufgabe war, die Gäste im Auto den halbstündigen Weg zurück nach Zürich brachte, an die Bahn oder nach Hause, konnte sie sich mit ihnen »wunderbar unterhalten«. Dort, im Auto, allein mit dem Fremden, war ihr keine Frage peinlich. Hemmte sie also der scharfzüngige Familienkreis?

Vielleicht unbewußt, denn Elisabeth besteht darauf, daß die Eltern ihre Kinder zum Gespräch stets eher ermuntert hätten. Doch die glanzvollen Auftritte des Geschwisterpaares Erika und Klaus und die überragende Intelligenz des Vaters faszinierten sie ebenso, wie sie sie einschüchterten. Nicht, daß diese Ambivalenz je Neid- oder gar Haßgefühle oder den Wunsch nach jugendlicher Rebellion bei ihr ausgelöst hätte: »Ich habe die hohen Standards ja geteilt – und mich deswegen sehr bescheiden gefühlt.« Die Brillanz des Umfelds beängstigte Elisabeth eben nur derart, daß sie buchstäblich verstummte.

Auch Äußerlichkeiten beschäftigten sie inzwischen. Auf Photos der Fünfzehnjährigen könnte man sie bei flüchtigem Hinsehen für einen Jungen halten. Sie trägt kurze Haare, einen akkuraten Herrenschnitt mit langem Seitenscheitel, dessen dunkle Strähnen ihr widerspenstig in die Stirn, über die braunen Augen und den ernsten, entschlossenen Mund fallen. Auch später ließ sie sich das Haar nie recht viel länger wachsen. Mit sechzehn, siebzehn, achtzehn Jahren interessierten sie feminin verspielte Kleider überhaupt nicht. Nur widerwillig zog sie sie an, sooft es in die Schule oder ins Konzert ging, und wirkte dann wie ein etwas altbackener Blaustrumpf. Lieber versteckte sie sich in unkomplizierten Rockhosen. Die Burschikosität ihres Auftritts verleitete die Älteren zur spöttischen Mutmaßung, in der kleinen Schwester schlummerten womöglich lesbische Anlagen, was bei der Häufung homoerotischer Neigungen in der Familie an sich nicht erstaunlich gewesen wäre, aber doch unzutreffende Spekulation blieb.

Sie sei kein hübsches Mädchen gewesen, sagt Elisabeth, nicht so hübsch jedenfalls wie die anderen Mädchen in der Klasse, die einem lieblicheren Bild von Weiblichkeit entsprachen. Sie litt darunter, nicht größer als 1,63 Meter zu sein, und hielt sich wie die meisten Teenager für zu dick. Hatte sie wieder einmal während eines Essens mit Gästen nichts zu sich nehmen können, stahl sie sich danach zum Kühlschrank, aß sich satt, und büßte dann mit stundenlangen Spaziergängen die Kaloriensünden ab.

Diese typischen Pubertätsbeschwerden wurden durch das Idealbild, das Elisabeth vor Augen hatte, natürlich verstärkt. Wie Erika wollte sie sein, schlank, hochgewachsen, mit frecher Frisur, elegant: »Ich fand, die Eri war eine sehr schöne Erscheinung.« Männliche wie weibliche Bewunderer lagen ihr zu Füßen, und wenngleich ihr Gesicht viel von dem reizend Koboldhaften verloren hatte, das sie als Zwanzigjährige besaß, so wirkte die amazonenhafte Strenge, die ihre Züge zunehmend prägten, doch sehr beeindruckend. Sie verfügte über Selbstbewußtsein und Charme, und die Aura von Unabhängigkeit machte sie unwiderstehlich.

Nicht weniger schön fand Elisabeth Annemarie Schwarzenbach: »Ich habe sie sehr verehrt.« Auch diese verkörperte den an-

Klaus und Erika mit ihrer Freundin Annemarie Schwarzenbach in Venedig, 1932

drogynen, schmalen Typ, der damals modern war, trug Hemd und Krawatte zur weiten Herrenhose, und ihr dunkelblondes Haar, sehr kurz geschoren, schmiegte sich um den schön geformten Kopf. Mit Klaus und Erika war die Schriftstellerin seit 1930 eng befreundet; gemeinsam hatten sie Europa erkundet, waren in Venedig gewesen, in Südfrankreich, auf Mallorca. Merkwürdig, hatte Thomas Mann einmal mit einem Seitenblick auf Annemarie gemeint, »wenn Sie ein Junge wären, dann müßten Sie doch als ungewöhnlich hübsch gelten«.[41]

Ungewöhnlich sah sie in der Tat aus, unkörperlich und in sich versunken. Der Blick geht nach innen, als sei dies Wesen nicht von dieser Welt, und wer will, kann schon auf den Bildern um 1932 Anzeichen der Morphiumsucht im Gesicht dieses schönen Drogenengels erkennen. Elisabeth erinnert sich vor allem an Annemaries »dreieckige Augen«, die damals zwar verhangen, aber noch klar waren. Anders als bei Klaus: Der hatte »sehr schöne Augen«, so Elisabeth, »aber immer waren sie rot«.

So wie Annemarie, so wie Erika wollte Elisabeth sein. Denn in ihrem Gesicht erkannte man eine seelische Robustheit, die sie selbst angesichts der schicken Decadence um sich herum nicht für attraktiv hielt. Während Annemarie sich die Schwärmerei mit nicht mehr als wohlwollender Zurückhaltung gefallen ließ, übernahm Erika gern die Führungsrolle der großen, in Lebensfragen erfahrenen Schwester. Mit ihr konnte Elisabeth über vieles sprechen, was sie vor der Mutter verborgen hielt. Besonders in Liebesdingen wurde Erika schon früh ihre Vertraute, und es spricht für die Innigkeit der Schwesterbeziehung, daß das Vertrauensverhältnis, wie sich zeigen sollte, auch durch schmerzhafte Überkreuz-Emotionen nicht gestört wurde.

Zu einer heftigen Auseinandersetzung zwischen den beiden Schwestern kam es allerdings Anfang 1936. »Medi verlegen wegen des Konfliktes mit Erika, die sie sehr scheut und ehrt«, diese Eintragung ist Thomas Mann der Zwist in seinem Tagebuch wert.[42] Dreh- und Angelpunkt der Kontroverse, die die ganze Familie erschütterte, war er selbst. An seiner mangelnden Rückendeckung für die Sache der Emigranten, an seiner Zurückhaltung gegenüber den Machthabern des Dritten Reiches entfachte sich ein Familienstreit, der sich schon lange abgezeichnet hatte und dessen Ausmaß nun um so heftiger zu werden drohte, als sein Auslöser nicht privater, sondern politischer Art war. Es ging um Haltung und Ehre, war also ernst, vor allem, weil Erika, die ohnehin zum Furienhaften neigte, in diesem Drama eine Hauptrolle spielte.

Anfang Januar hatte der Journalist Leopold Schwarzschild den bislang in Deutschland gebliebenen Verleger Thomas Manns, Gottfried Bermann Fischer, in der Pariser Exilzeitschrift »Das Neue Tage-Buch« als »Schutzjude des nationalsozialistischen Buchhandels« bezeichnet. In der »Neuen Zürcher Zeitung« protestierte Mann mit einer Gegenerklärung.[43] Seine Tochter Erika war entsetzt; sie fand, der Vater falle damit der Emigration in den Rücken. In einem Brief verlieh sie ihrer Enttäuschung Ausdruck, daß Thomas Mann sich seit Beginn des Dritten Reiches für niemanden öffentlich eingesetzt habe und nun ausgerechnet für Bermann Fischer. All die Zeit habe er sich zurückgehalten, nun falle sein erstes Wort »für« jemanden ausgerechnet für den Verleger, das erste Wort »gegen« jemanden jedoch gegen einen Vertreter der deutschen Exilszene. »Deine Beziehung zu Doktor Bermann und seinem Haus ist unverwüstlich, – Du scheinst bereit, ihr alle Opfer zu bringen. Falls es ein Opfer für Dich bedeutet, daß ich Dir mählich, aber sicher, abhanden komme, – leg es zu dem übrigen. Für mich ist es traurig und schrecklich. Ich bin Dein Kind E.«[44]

Auf diese Androhung von Liebesentzug antwortete zuerst und sehr schnell die Mutter. Es sei eben sehr kompliziert für den Vater, schrieb sie der zürnenden Tochter. Erika hätte den »Zauberer« nicht mit Bruch bedrohen dürfen. »Du bist, außer mir und Medi, der einzige Mensch, an dem Z.s Herz ganz wirklich hängt, und Dein Brief hat ihn sehr gekränkt und geschmerzt.«[45] Auch Thomas Mann versuchte der Tochter seine Position zu erklären, sorgsam bemüht, eine Entfernung nicht zuzulassen. »Zum Sich überwerfen gehören gewissermaßen Zwei, und mir scheint, mein Gefühl für Dich läßt dergleichen garnicht zu.«[46] Tatsächlich antwortete Erika versöhnlich, beschwor den Vater aber, sich die Wirkung seiner Worte zu überlegen: »Denk an die Verantwortung, die Dich trifft, wenn Du, nach dreijähriger Zurückhaltung, als erstes Aktivum die Zertrümmerung der Emigration und ihrer bescheidenen Einheit auf Dein Conto buchst ... Ich bitte dich sehr, – recht sehr: E.«[47]

Damals stellte sich Elisabeth auf die Seite des Vaters. In der Sache allerdings stimmte sie Erika zu, empfand deren Angriffe jedoch als unfair. »Mir wäre es zwar lieber gewesen, er hätte sich klar ausgesprochen, aber ich fand Erikas Erpressung nicht richtig. Außerdem neigte sie dazu, irrsinnig ungerecht zu sein. Wenn sie jemanden mochte, durfte er alles. Und ohne daß ich Bermann Fischer verteidigen wollte, fand ich sie, was ihn betraf, nicht gerecht.« Als Erika daraufhin Elisabeths Einmischung heftig zurückwies, zog die Kontroverse weitere Kreise, zumal inzwischen auch Golo eine Äußerung des Vaters gegen Hitler-Deutschland herbeisehnte.[48] Thomas Mann stand unter Druck. Die Atmosphäre im Haus war gespannt.

Mittlerweile hatte Eduard Korrodi, Feuilletonchef der »Neuen Zürcher Zeitung«, die gesamte deutschsprachige Exilliteratur als angeblich jüdisch abqualifiziert. Die einzige Ausnahme, so Korrodi, stelle Thomas Mann dar. Sofort bat Klaus zusammen mit seinem Freund und Verleger Fritz Landshoff den Vater telegrafisch, im Namen der Emigranten auf diese Unverschämtheit zu antworten. Und tatsächlich entschloß sich Thomas Mann endlich, etwas zu tun. War es der Druck seiner Kinder, waren es drei Jahre Exil, die ihn zu diesem wohlüberlegten Schritt hatten kommen lassen?

Jedenfalls verabschiedete sich der Einundsechzigjährige Anfang Februar 1936 in einem offenen Brief an Korrodi endgültig von Deutschland: Die »Überzeugung«, schreibt er, »daß aus der gegenwärtigen deutschen Herrschaft nichts Gutes kommen kann, für Deutschland nicht und für die Welt nicht, – diese Überzeugung hat mich das Land meiden lassen, in dessen geistiger Überlieferung ich tiefer wurzele als diejenigen, die seit drei Jahren schwanken, ob sie es wagen sollen, mir vor aller Welt mein Deutschtum abzusprechen«[49].

Thomas Mann war sich der Tragweite seines Schrittes bewußt, und für ihn wie für die Familie wirkte er schlagartig befreiend und einigend. Konsequenzen blieben freilich nicht aus. Noch im selben Jahr verlor er die deutsche Staatsangehörigkeit, wurde durch diesen Hinauswurf aber nicht zum Staatenlosen: Zusammen mit der Familie erhielt er einen tschechischen Paß. Erika hatte sich schon 1935 die britische Staatsangehörigkeit verschafft, indem sie den homosexuellen Lyriker Wystan H. Auden geheiratet hatte. Sie hatten einander vor dem Hochzeitstag nie gesehen, und auf die schriftliche Bitte um Ehelichung hatte Auden lediglich depeschiert: »Delighted«.[50] Aus dieser Paß-Ehe erwuchs eine tiefe Freundschaft mit dem großherzigen Dichter, die sich auf die ganze Familie Mann erstreckte.

Katia und Thomas müssen erleichtert gewesen sein über das Ende der aufwühlenden Familienkontroverse. Sie hatten schon genug häuslichen Kummer. Vor allem Michael war, so Elisabeth, in diesen Jahren »besonders schwierig – und er war immer ein schwieriges Kind gewesen«. Mit Schaudern erinnert sie sich an Michaels eher unernsten Selbstmordversuch. »Er hat eine Überdosis Schlafmittel genommen, und dann den Golo dazu verlockt, mit ihm auf den See zu rudern. Und er hatte sich vorgenommen, dort, im Boot mit Golo, zu sterben. Was ja wirklich ein teuflischer Plan war.« Letztlich allerdings wurde Michael nur übel, und die Brüder ruderten wieder zurück, Golo außer sich vor Wut und Sorge. Ein anderes Mal riß Michael von zu Hause aus, nach einer »heftigen Szene« mit dem Vater, der ihm Vorhaltungen wegen seiner »albernen Lasterhaftigkeit« gemacht hatte; Michael trank zu viel. Nach einer unruhigen Nacht, in der Katia und Elisabeth dem Jungen vergeblich mit dem Auto nachgefahren waren, tauchte er tags darauf wieder auf.

Er war gefährdet und jähzornig und phasenweise nur seiner sanften Freundin Gret sowie seiner Schwester Elisabeth zugänglich. Hatte Thomas Mann den Jüngsten gegenüber der Lieblingstochter allzusehr vernachlässigt, seiner Entwicklung zu wenig Beachtung geschenkt und damit die trotzigen Verzweiflungsaktionen selbst provoziert? Dabei betrachtete er den Heranwachsenden mittlerweile mit Stolz, konstatierte seine raschen Musik-Fortschritte und auch daß er ein »schöner Junge«[51] geworden sei. Doch gegen das augenscheinlich tiefwurzelnde Gefühl von Zurücksetzung richtete das nichts mehr aus.

Demgegenüber fiel die eher sanfte »Medi« zwar nicht durch pubertäre Renitenz auf, verursachte den Eltern andererseits kaum weniger Kopfzerbrechen. Hilflos beobachteten sie das junge Mädchen, das stets so still, so problemlos im Hintergrund mitgelaufen war und dessen nervliche Konstitution neuerdings zu Besorgnis Anlaß gab. Das frühe Aufstehen der Tochter, überhaupt die selbstauferlegte Überlastung durch einen randvollen Tagesplan war ihnen nicht entgangen. Aber während sie Michaels Musikausbildung, dessen Talent sie nicht in Frage stellten, unterstützten, bezweifelten sie doch die Wahrscheinlichkeit, daß »Medi« je als Pianistin auftreten können werde, ein Berufswunsch, den diese aber energisch verfolgte. In Thomas Manns Tagebuch finden sich jetzt, um das Jahr 1934, zahlreiche Seufzer über das einstige »Kindchen«.

Die »Musikversessenheit« der knapp Sechzehnjährigen habe etwas »Starrsinniges«[52], klagte der Vater, um sich wenig später über die »Kombination von versessenem Klavier-Üben und Schulpflichten« zu erregen, denen das Kind »nach zu kurzem Schlaf oft von fünf Uhr früh an genügt«. Außerdem hatte Medi Schluckbeschwerden und Atembeklemmung eingestanden. Angesichts dieser Störungen stand für den Vater fest: »Es muß eingeschritten werden.«[53] Aber nichts geschah: Der Konflikt zwischen Schule und Musik ging weiter. Schon sah der Vater »mit bitterer Enttäuschung die Entwicklung des Kindes sich ins Unselige verlieren«.

So schlimm wurde es denn doch nicht. Ein Jahr später machte die knapp Siebzehnjährige zwar »Schwierigkeiten mit dem Abitur«, heißt es 1935, weil sie sich nicht entschließen könne, »das mehr eigensinnige als berufungsvolle Klavierüben einzuschränken« [54], und später ist noch von weiteren Problemen »mit der verbissenen Medi«[55] die Rede, deren blasses, müdes Aussehen den Vater ergreift.[56] Wie viele Unheilprophezeiungen bei Heranwachsenden bewahrheiteten sich die elterlichen Befürchtungen aber nicht: Aller Doppelbelastung zum Trotz wurde Elisabeth im September 1935 als Abiturientin vom Freien Gymnasium entlassen. Weil sie zu diesem Zeitpunkt gerade siebzehn Jahre alt war, konnte ihr das Zeugnis erst zum achtzehnten Geburtstag zugestellt werden.

Starrsinnig – versessen – verbissen: Bei aller Scheu und Unsicherheit waren Elisabeth doch unverrückbare Eigensinnigkeit, starker Wille und Ehrgeiz eigen. Ob ihr die Musik nun dazu dienen sollte, den Weg zu einer eigenen Position innerhalb dieser beängstigend begabten Familie zu finden, ob tatsächlich die Passion für eine Pianistenlaufbahn Triebfeder ihres Eifers war oder nicht – jedenfalls hielt sie eisern an der Ausbildung zur Konzertpianistin fest und absolvierte sie ebenso diszipliniert wie die Matura.

Die psychosomatischen Störungen verschlimmerten sich indes: Schluckbeschwerden, die das Essen unmöglich machten, Platzangst bei Tisch, nervöses Asthma und Anfälle von Schwermut.

Auch die patente Katia wußte keinen Rat mehr, zumal Elisabeth mit den Eltern nicht viel über ihre Nöte sprach: »Aber sie haben natürlich gemerkt, wie unglücklich ich war.« Und sie hatten auch gemerkt, worum es eigentlich ging, um schrecklichen Liebeskummer. Endlich mußte, wie Thomas Mann so richtig diagnostiziert hatte, »eingeschritten werden«.

... und frühes Leid

Fremde Hilfe war nötig. Sie kam in Gestalt des mit der Familie befreundeten Zürcher Neurologen Dr. Erich Katzenstein. Der renommierte Psychiater kannte die Verhältnisse der Manns recht gut. Die Brüder Klaus und Golo hatten ihn bereits aufgesucht; nun sollte er sich der achtzehnjährigen Elisabeth annehmen.

Die sträubte sich zunächst: »Ich wollte erst überhaupt nicht reden. Ich war störrisch. Aber dann war er eben furchtbar nett und geduldig. Und irgendwann habe ich sehr geweint und ihm die Sache erzählt.« Die Sache mit Fritz Landshoff: Der Freund von Klaus und Erika war Elisabeths erste große Liebe, eine unglückliche. Sie dauerte fünf Jahre.

Fritz Landshoff hatte bis 1933 in Berlin als Direktor des Kiepenheuer-Verlags gearbeitet und dann in Amsterdam die deutsche Abteilung des Verlags Querido gegründet, in dem er Exilliteratur verlegte. Seit jener Zeit war er der »brüderliche Freund« von Klaus und »die schönste menschliche Beziehung«, die dieser in den ersten Jahren des Exils fand.[57] Die Zuneigung beruhte auf Gegenseitigkeit, wie in den Erinnerungen des Verlegers nachzulesen ist.[58] Unter Landshoff erschienen bei Querido die neuen Werke der meisten emigrierten Autoren von Bedeutung, deren Bücher man in Deutschland verbrannt hatte: Jakob Wassermann, Heinrich Mann, Ernst Toller, Lion Feuchtwanger, Bruno Frank, Joseph Roth. Ge-

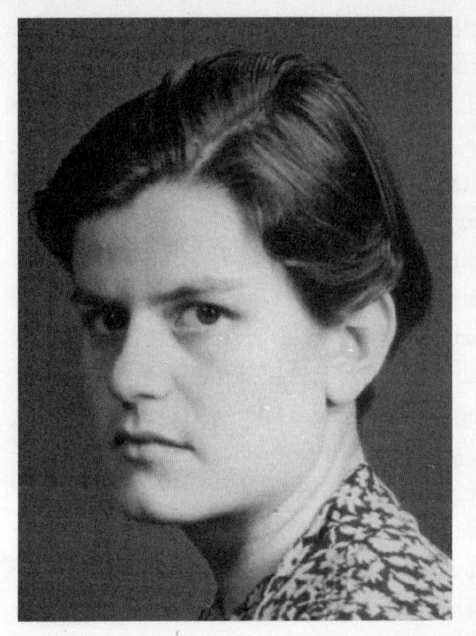

Elisabeth und ihre erste Liebe, der Verleger Fritz Landshoff

meinsam engagierten sie sich für Klaus' Exil-Zeitschrift, bei deren Herausgabe Landshoff organisatorische wie inhaltliche Unterstützung leistete.[59]

Dies und die mit der Zeit entstandenen privaten Beziehungen zur Familie seines Freundes führten Landshoff häufig ins Haus Mann, wo ihn Elisabeth 1933 kennenlernte. Sie war damals 15 Jahre alt.

Landshoff, 1901 geboren, galt mit seinen 32 Jahren als sehr attraktiver Mann. Die pechschwarzen, stark gewellten Haare verliehen seinem markanten Gesicht etwas Löwenhaftes, über der scharf geschnittenen Nase blickten dunkle Augen, und mit seiner olivfarbenen Haut wirkte er leicht exotisch. »Er hätte ein Araber sein können«, fand Elisabeth. Abgesehen vom Charme seines eindrucksvollen Äußeren kümmerte er sich reizend um das Mädchen.

Bei Hauskonzerten begleitete er sie und Michael, da er gut Cello spielte, erklärte Elisabeth außerdem die Werke seiner Autoren und regte sie zum Lesen an. Er sah gut aus, und er engagierte sich für die richtige politische Sache. Elisabeth war von Anfang an hingerissen.

Ihr Bruder Klaus unterstellte seiner kleinen Schwester einmal eine Schwäche für einen bestimmten Typ Mann: den des jüdisch-intellektuellen, etwas mitleiderregenden Künstlers ...[60] Zutreffend daran war, daß Elisabeth Männern ohne Motivation und große Anliegen nur wenig abzugewinnen wußte, doch Mitleiderregendes hatte Landshoff kaum. Als man ihn 1934 mit einer tuberkulösen Rippenfellentzündung auf ein halbes Jahr nach Davos schickte, stellte die sechzehnjährige Elisabeth fest, wie stark ihre Gefühle für ihn geworden waren.

Ihre Hingezogenheit begann harmlos, fiel aber sofort auf. Nach einem Abendessen mit Landshoff im Küsnachter Haus notierte Thomas Mann im Tagebuch die »rührende Schwäche Medis für ihn«[61], und Klaus hielt Ähnliches fest. »F. zum Abendessen hier (Medis Schwärmerei).«[62] Landshoff merkte es wohl, und verhielt sich rücksichts- und liebevoll. »Furchtbar nett« sei er mit ihr gewesen, sagt Elisabeth, »er hat mich offenbar gern gehabt. Aber er hat mich natürlich für ein Kind gehalten. Und das war ich ja auch.«

Selber schwermütig veranlagt und wie Klaus Todesgedanken und Drogen nicht abgeneigt, war Landshoff so leidenschaftlich wie hoffnungslos in die charmante und lebensstarke Erika Mann verliebt, und während Elisabeth jeder Begegnung mit ihm entgegenfieberte, sehnte sich dieser nach ihrer Schwester, die mit der »Pfeffermühle« gerade Triumphe feierte und wiederum das melancholische Liebeswerben Landshoffs nur schlecht ertrug[63], zumal sie selbst der eifersüchtigen Therese Giehse damals eng verbunden war. »Sehr verzweifelter Brief von F. (Fritz) an E. (Erika). Überall soviel Traurigkeit«[64], bedauerte Klaus im Tagebuch. Erika ihrerseits wußte von den Gefühlen Elisabeths für Landshoff – diese hatte ihr das Herz ausgeschüttet – und unterstützte sie, teils aus schwesterlicher Anteilnahme, teils aus persönlichem Interesse dabei, Distanz zwischen sich und Landshoff zu schaffen.

Immerhin gelang es Elisabeth, die kommenden Jahre nicht ausschließlich in selbstquälerischem Unglück zu verbringen. Zu viele Beschäftigungen und Zerstreuungen lenkten sie ab. Klavierüben, Schule und Konzerte, Kino und Verdunklungsfeste halfen über lange Trennungsphasen, während derer Fritz Landshoff in Amsterdam seinen Geschäften nachging. Für Gleichaltrige konnte sich Elisabeth allerdings nicht erwärmen, obwohl der eine oder andere dem etwas spröden und eigenen Mädchen durchaus den Hof machte.

Zur langersehnten, langgefürchteten Aussprache kam es 1937, als Elisabeth neunzehn Jahre alt war. Die Gelegenheit ergab sich, als sie Erika beim Autoüberführen behilflich sein durfte. Deren Wagen mußte nach Holland gebracht werden, und Elisabeth erbot sich nur allzugern. Gemeinsam mit ihrer Freundin Gret fuhr sie los, zugleich freudig und ängstlich erregt: Ferien in Amsterdam, bei Fritz, der sich selbstverständlich um die kleine Schwester seiner Freunde kümmern wollte! In Holland eingetroffen, nahmen die beiden Mädchen in der Pension Hirsch Quartier, in der auch Landshoff lebte, und irgendwann ergriff Elisabeth schließlich die Initiative. »Abends kam er immer an mein Bett, und da habe ich es ihm eben gesagt. Er antwortete, daß er es nicht könnte – wegen seiner Beziehung zu Erika. Es sei zu schwer für ihn.« Im Rückblick scheint es Elisabeth allerdings, als hätte die Geschichte damals auch anders enden können. Fritz Landshoff nämlich muß von der Entschlossenheit der Achtzehnjährigen zumindest beeindruckt gewesen sein. »Er war«, meint sie heute, »eben auch sehr zärtlich. Es war nah dran, und genausogut hätten wir wohl auch heiraten können. Hätte ich ein bißchen mehr verstanden, hätte ich ihn verführt, aber ich war ein Kind, völlig naiv, und wußte überhaupt nicht, wie das geht.« Nach der Rückkehr am 19. Mai 1937 notierte Thomas Mann – mit einiger Erleichterung? – im Tagebuch, die zurückgekehrte Medi sei wohl mit Dr. Landshoff einig geworden. Sollten die Eltern indessen angenommen haben, nun sei die Sache endlich erledigt, lagen sie falsch.

Mit der ihr eigenen Verbissenheit ließ Elisabeth nicht von ihrer Passion ab. Der Vater fing schon an, besorgte Gespräche mit Erika über »Medis unselige Leidenschaft für Landshoff« und einhergehende psychosomatische Beschwerden zu führen, »obstinate Versessenheit, Asthma, Schlaflosigkeit, Herausforderung anderer verwandten Typs«.[65] Auch Erika gab sich große Mühe mit der Schwester. »Mit Dulala habe ich schon ein wenig gesprochen, – sie gibt vor, alles einzusehen, und beruft sich immer wieder auf die unheilbare Liebe zum Frieder, – die natürlich zum Teil auf nervöser Einbildung beruht, aber natürlich deswegen nicht weniger leidig zu sein braucht«, schrieb sie ihren Eltern mit viel Verständnis und Klarsicht.[66]

Die schlimmste Zeit des Liebesunglücks kam aber erst, als Landshoff sich in die holländische Schauspielerin Rini Otte verliebte, ein reizvolles Geschöpf mit langen, lockigen Haaren… und nur ein Jahr älter als Elisabeth. Dieses Mädchen, das er später auch heiratete, nahm er mit auf eine Visite im Haus Thomas Manns. Der ausführliche Besuch des frischverliebten Paares mit Tee, Spaziergang, gemeinsamem Abendessen war für Elisabeth natürlich die reinste Tortur. »Medis Martyrium« fiel nicht nur Bruder Klaus auf: »Zieht sich zum Klavierspielen gequält zurück«.[67] »Erbarmen mit Medi, der man den Besuch ihrer Rivalin nicht hätte anzutun brauchen«, ärgerte sich auch der Vater, der sein verletztes Kind noch anderntags zärtlich trösten mußte.[68]

Daß Dr. Katzenstein die Angelegenheit »phlegmatisch« nahm, ärgerte Thomas Mann heftig.[69] Tatsächlich aber erwies sich dessen unaufgeregte Diagnose als richtig. Ein Jahr lang empfing er Elisabeth mindestens einmal pro Woche zur Sitzung, ohne den Eltern auch nur eine einzige Stunde in Rechnung zu stellen, ganz anders als für die Therapien der Brüder Klaus und Golo. Seine Begründung: Das Mädchen sei überhaupt nicht krank. Katzenstein war Freudianer, verließ sich aber im Fall Elisabeths lieber auf gesunde Menschenkenntnis. Was er Elisabeth mitgab, hat sie sich bis heute gemerkt: Erstens, es sei sehr ungesund, Dinge erzwingen zu wollen, und zweitens, wer ein glückliches Leben führen wolle, müsse lernen, loszulassen. Zum Abschied schenkte er ihr ein Bändchen des chinesischen Weisen Laotse.

War es Katzenstein, der Elisabeth heilte? Zum Teil. Ein wenig half Laotse, ein wenig die lange Zeit, die sie auf die Herzensangelegenheit schon verwandt hatte. Förderlich war auch, daß ihr Naturell zur Gebrochenheit nicht taugte. Den erlösenden Schlußpunkt setzte allerdings die Begegnung mit einem anderen – mit Giuseppe Antonio Borgese, ihrem künftigen Ehemann.

III Ein Eheleben

1991 wurde Elisabeth Mann Borgese in einem Interview gefragt, wie sie sich denn als Zwanzigjährige ihr Leben vorgestellt habe. Sie entgegnete: »Ich war damals schon sehr entschlossen, meinen zukünftigen Mann zu erobern.« Irritiert fragte die Interviewerin, ob sie ihn damals bereits gekannt habe. Darauf Elisabeth: »Nein, ich kannte ihn nicht. Ich kannte nur seine Bücher. Aber das hat mir genügt.«[1]

Vor der Eroberung allerdings und vor der noch ausstehenden Begegnung mit dem Auserwählten stand eine weite Reise. 1938 übersiedelten Thomas und Katia Mann von der Schweiz ins amerikanische Exil. Ein weiteres Mal folgte Elisabeth ihren Eltern in eine unbekannte Zukunft, und ein weiteres Mal verknüpfte sich das private Geschick der Familie mit der Weltpolitik.

Die Situation in Europa hatte sich in jenem Jahr zunehmend verschärft. Nach dem »Anschluß« Österreichs fühlten sich die Manns in der Schweiz nicht mehr sicher. Thomas Mann erwies sich, als er bereits im März 1938 die »Inangriffnahme der Tschechoslowakei«[2] voraussah, als klarsichtiger Beobachter der nationalsozialistischen Bestrebungen. Tatsächlich kamen nur wenige Monate später Hitler, Mussolini, Daladier und der britische Pre-

Emigranten in Princeton: Thomas Mann mit Albert Einstein

mierminister Chamberlain zu ihrem folgenschweren Treffen zusammen; denn im nun vereinbarten Münchener Abkommen wurden die sudetendeutschen Gebiete an Deutschland abgetreten. Die Nachricht hierüber erreichte die Familie während der Schiffspassage nach Amerika. Als »angewidert, beschämt und deprimiert«[3], beschrieb Thomas Mann seinen Seelenzustand. Erschüttert seien ihre Eltern gewesen, berichtet Elisabeth, über den Ausverkauf ausgerechnet des Landes, das ihnen großzügig die Staatsangehörigkeit gewährt hatte: »Der amerikanische Aufenthalt fing in einer Atmosphäre größter Düsternis an.«[4]

Thomas Mann war schon mehrfach in die Neue Welt gereist. Die Universität Harvard hatte dem Schriftsteller gemeinsam mit Einstein die Ehrendoktorwürde verliehen, außerdem erhielt er das Ehrendoktorat der Universität Yale[5], und selbst Präsident Roosevelt hatte es sich nicht nehmen lassen, den Nobelpreisträger zum Dinner ins Weiße Haus zu bitten. Dort weilten Katia und Thomas später sogar einmal für mehrere Tage als private Gäste der Roosevelts. Solch hochrangige Kontakte verdankte der Schriftsteller meist einer einflußreichen Verehrerin seines Werkes: Agnes E. Meyer. Die deutschstämmige Ehefrau des Inhabers der »Washington Post« hatte Zugang zu den höchsten politischen wie kulturellen Kreisen Amerikas und förderte Thomas Mann, wo immer sie konnte.[6]

Als Wegbereiter ins amerikanische Exil fungierten auch die ältesten Kinder Erika und Klaus, die bereits 1936 ihr Glück jenseits des Ozeans versucht hatten. Allerdings kamen die Auftritte von Erikas »Pfeffermühle«, in den USA unter »Peppermill« firmierend, nicht gut an. Der europäische Geist des Kabaretts, seine versteckten Anspielungen und die fehlenden Showeffekte entsprachen nicht dem amerikanischen Geschmack.[7] Bald fiel das Ensemble auseinander, und auch die engste Vertraute Erikas, Therese Giehse, trat den Rückweg nach Europa an. Erika war dennoch Erfolg beschert: Als »lecturer«, als politische Rednerin, hielt sie, oft gemeinsam mit Klaus, auf großen Kundgebungen flammende Reden über das Hitler-Deutschland. Mit dem Bruder reiste sie auch als Kriegsberichterstatter 1938 an die Fronten des Spanischen Bürgerkrieges, und gemeinsam verfaßten sie auf englisch mehrere Bücher, etwa »Escape to Life«, eine Art »Who's Who« des Exils, oder später »The Other Germany«. Beide hielten sich häufig in Amerika auf, das ihnen immer vertrauter wurde, vor allem New York. Der Aufbruch der

»Großen« mag auch den Eltern den Abschied vom alten Kontinent erleichtert haben.

Zudem hatte die Mäzenin Agnes E. Meyer dafür gesorgt, daß die Reise kein Schritt ins Ungewisse war. Die Universität Princeton trug Thomas Mann auf ihr Betreiben eine Art Ehrenprofessur an[8], eine mit 6000 Dollar gut dotierte Position mit geringen Verpflichtungen.[9] In Princeton fand man denn auch eine neue Residenz, ein »elegantes und praktikables Haus«, das gegenüber der bescheidenen Küsnachter Unterkunft »zweifellos eine Erhöhung des Lebensniveaus« versprach.[10] Komfort verhieß auch die Hilfe des schwarzen Dienerpaars Lucy und John.

In der Schweiz wartete Michael, nicht einmal zwanzigjährig, indes die Aufgebotsfrist ab: Er und seine Jugendfreundin Gret Moser hatten sich entschlossen zu heiraten. Golo, der in Zürich als Redakteur die vom Vater herausgegebene Kulturzeitschrift »Maß und Wert« betreute, blieb ebenso wie Monika zunächst in Europa. So begleitete nur Elisabeth ihre Eltern auf der Überfahrt mit der »Nieuwe Amsterdam«. Im September 1938 traf sie mit ihnen in New York ein, im Herzen noch etwas Abschiedsschmerz, vor allem aber Vorfreude und die Hoffnung, daß die Neue Welt ihrem Leben eine ungeahnte Wendung geben werde.

Der sizilianische Prinz

Elisabeth fand sich in Amerika rasch zurecht. Sie war neugierig, gewillt, schnell die ihr nicht geläufige Sprache zu erlernen, und fühlte sich im Haus ihrer Eltern noch immer gut aufgehoben. Alleine leben wollte sie nicht. Wieso hätte sie die tolerante Atmosphäre verlassen sollen, die ihr alle Freiheiten für eigene Unternehmungen gewährte? Vertrautheit in der Fremde schuf auch das gehobene Ambiente des neuen Heimes, in dem bald die familiäre Habe aus der

Schweiz eintraf. Mit dem Auto fuhr man etwa eineinhalb Stunden nach New York, wo Elisabeth bei einer russischen Pianistin vom Curtis Institut wöchentlich Stunden nahm. Ein Jahr lang perfektionierte sie bei der Lehrerin ihre Technik. Und nach dem Unterricht pflegte sie in der Upper West Side New Yorks zu übernachten, in der kleinen Wohnung von Michael und seiner Schweizer Freundin Gret, die mittlerweile ebenfalls eingetroffen waren. Zu dritt oder zu mehreren, mit Musiker-Freunden Michaels, verbrachte sie manchen Abend in Manhatten: »Wir haben es immer ganz lustig gehabt.«

Ein vergleichbar aufregendes Nachtleben konnte Princeton nicht bieten, es glänzte aber immerhin durch illustre Nachbarn. Albert Einstein kam zum Abendessen vorbei, in Reichweite lebten der Dirigent Bruno Walter mit seiner Frau, Max Reinhardt, Hermann Broch und der geschätzte Erich von Kahler, dem sich namentlich Elisabeth anschloß. Aus New York kamen die Geschwister Erika, Klaus und Michael vorbei, und zudem besuchten prominente Gäste zahlreich das Haus des Schriftstellers Thomas Mann, der sich auf dem Höhepunkt seines Ruhms befand.[11] Auch die Presse interessierte sich für den neuen Gast aus Europa, und die publicity-erfahrene Erika wies die Mutter in Antworten ein, welche die patriotischen Amis gerne hörten. Katia improvisierte dann in Interviews mit einiger Unbekümmertheit, wenn sie den Journalisten einen Tip für ihr angeblich neues Leibgericht, die uramerikanischen »pancakes«, auftischte: »Besonders wichtig ist, daß man sie gleichmäßig ausrollt.«

»Es war eine interessante Gesellschaft«, erzählt Elisabeth im Rückblick, »und es gab viele Menschen, mit denen man sich unterhalten und von denen man lernen konnte.« Im Mittelpunkt der Gespräche stand natürlich die Weltlage; kaum ein Künstler oder Intellektueller, der zu jener Zeit nicht das Bündnis von Geist und Politik gesucht hätte.

THOMAS MANN
65 STOCKTON STREET
PRINCETON, N. J.

4. Juni 1939

Lieber Freund Borgese:

Für Ihren lieben Brief wollen meine Frau und ich Ihnen gemeinsam danken, daher diktiere ich ihr, wie wir es bei intimerer Korrespondenz gewöhnt sind.

Wir haben Ihren Brief mit Rührung und Sympathie gelesen. Er ist ein wirklich gewinnender Ausdruck Ihrer Persönlichkeit, und Sie können sich denken, dass es uns im Augenblick unserer Abreise eine Freude und eine Beruhigung war, ihn zu empfangen. Es sei alles, wie Sie sagen! Wir lassen unsere Elisabeth zurück im Vertrauen, dass ihr guter Engel oder wie man den Lebensinstinkt nennen will, der uns leitet, ihr das Rechte zu tun eingeben wird. Wir können nur sagen, dass wir eine Verbindung von Herzen begrüssen würden, die uns im Persönlichen glückverheissend und im Ueberpersönlichen schön und sinnvoll dünkt.

Was uns besonders gefreut hat in Ihrem Brief, ist Ihr Urteil über Medi, die, wie wir ohne elterliche Ueberheblichkeit sagen möchten, zutreffende Kennzeichnung ihres Charakters. Die "loyalty of her heart", das scheint uns in der Tat das Beste und Richtigste, was man von ihr sagen kann, und auf diese loyalty können wir alle vertrauen. Sie werden verstehen, dass das ganze Problem seine melancholische Seite für uns hat, und dass wir recht sehr vereinsamen werden,

Brief eines Vaters:
Thomas Mann an seinen zukünftigen Schwiegersohn Giuseppe Antonio Borgese

11

wenn es kommt, wie es scheint, kommen zu sollen, aber das ist das Gesetzt der Zeit und des Lebens. Medi ist noch so jung und kindlich, dass schon diese experimentelle und weite Trennung besonders meiner Frau schwer fällt. Gerade darum hat sie Ihren Brief, der so reich an Gefühl und Verständnis ist, so wohltätig empfunden. Möge also das Rechte geschehen!

Zu danken habe ich Ihnen auch noch für Ihr Exposé, das ich gut, wohlformuliert und glücklich finde. Ich glaube, dass es werbende Kraft haben wird, und gewisser Zweifel ungeachtet, die meine Natur mir in allen Fragen der realen Aktivität niemals erspart, würde ich die Verwirklichung Ihres grossgedachten Planes als den Versuch zur Schaffung einer geistigen Autorität unumwunden begrüssen. Seien Sie jedenfalls meiner weiteren lebendigsten Anteilnahme an dem Unternehmen ernstlichst versichert!

Wir fahren übermorgen auf der „Ile de France", denken zweite Häfte September zurück zu sein und hoffen dann sofort alle persönlichen und allgemeinen Fragen freundschaftlich mit Ihnen besprechen zu können.

Nehmen Sie unsere herzlichsten Wünsche für den Verlauf des Sommers!

Ihr

Thomas Mann

So auch Giuseppe Antonio Borgese. Standhaft hatte der sizilianische Adlige sich an der Universität Mailand geweigert, den faschistischen Eid zu leisten. Seine Studenten waren verprügelt worden, und er selbst konnte in diesem neuen Italien nicht mehr leben und lehren. So hatte er das Land 1931 verlassen müssen, unterrichtete an der Universität von Chicago Literatur und politische Wissenschaften und trat mit Publikationen gegen den Faschismus an die Öffentlichkeit.

Thomas Mann kannte Borgeses Buch über den Staat Mussolinis, »Goliath, der Marsch des Faschismus«, dessen Verve ihn sehr fesselte[12], und er hatte, noch in der Schweiz, einen Aufsatz des Italieners in seiner Kulturzeitschrift »Maß und Wert« gedruckt.[13] Auf seiner Amerikareise 1938 war es dann zu einer ersten persönlichen Begegnung mit dem eloquenten und temperamentvollen Gelehrten, der auch deutsche Literatur unterrichtet hatte und gut deutsch sprach, gekommen. Mann schätzte Borgese sehr, zumal dieser ihn respektvoll als »gegenw.(ärtigen) Präsidenten der geistigen Republik«[14] verehrte, fand aber das Temperament des Sizilianers etwas heftig. Auch Klaus lobte die kämpferischen Schriften Borgeses, beeindruckt vom »brillanten Anfang«[15] und dem Aufbau des Werkes, »anregend und gehaltvoll auf jeder Seite«.[16] In ihrem Buch »Escape to Life« über wichtige Figuren der Emigration beschreiben Klaus und Erika Borgese, den sie in Amerika kennengelernt hatten, als Inbegriff des Südländers, leidenschaftlich in Rede und Tat. »Borgese sieht jünger aus, als man es annehmen sollte, wenn man seine literarischen und wissenschaftlichen Leistungen kennt. Er ist ein kräftiger, vollblütiger Mann, ungeheuer italienisch in seiner Art des Sprechens und als physiologischer Typus.« Aber die Geschwister hatten ihre »Zweifel, ob er sich irgendwo außerhalb Italiens vollkommen wohl fühlen kann.«[17]

Noch in der Schweiz hatte Elisabeth den Namen Borgese zum ersten Mal gehört, von Ignazio Silone; der italienische Schriftsteller hatte bei einem seiner Besuche den »Goliath« mitgebracht und der ganzen Familie empfohlen. Wie ihr Vater und ihr Bruder verschlang Elisabeth das Buch, »ungeheuer beeindruckt«, und beschloß, hier den Mann gefunden zu haben, den sie heiraten wollte. Sie wußte nur, wie alt er war – sechsundfünfzig und folglich sechsunddreißig Jahre älter als sie selbst –, aber sie hatte keine Ahnung, wie er aussehen mochte. »Das ist nebensächlich«, findet sie noch heute, »wenn man jemanden verehrt und liebt, entdeckt man Schönheit in seinem Gesicht, die man sonst nicht sieht. Ich war auf der Suche nach jemandem, den ich bewundern und von dem ich lernen konnte.« Der Altersunterschied reizte sie eher, als daß er sie schreckte, und schon in Zürich hatte sie sich immer mehr für ältere Menschen als für gleichaltrige interessiert. Einen jungen Mann zu heiraten lag außerhalb ihrer Vorstellung. Zweifel, ob Borgese ausschließlich als geistige Leitfigur, jedoch nicht als Ehemann für sie in Frage kommen könnte, kamen ihr nicht in den Sinn: »So etwas gab es für mich nicht. Für mich war immer alles aus einem Stück.«

Daß sich Elisabeth einen Mann, den sie nicht einmal persönlich kannte, so entschlossen in den Kopf setzte, mutet einigermaßen seltsam an. Tatsächlich suchte sie, wie schon als ganz junges Mädchen, nach einer Orientierungshilfe und entdeckte in Borgeses Werk die klare Position eines politischen Denkers, bewundernswert im geistigen Anspruch, passioniert in der Diktion. Zur Ehe fühlte sie sich bereit, und die Vorbilder ihrer Geschwister Monika und Michael, die 1939 ebenfalls vor den Altar traten, verstärkten dies sicher noch. Michael wirkte mit seinen knapp zwanzig Jahren bei der Trauung so jungenhaft, daß er den Kirchendiener erst davon überzeugen mußte, selbst der Bräutigam zu sein. Zudem hatte Elisabeth begriffen, daß »die Sache« mit Fritz Landshoff aussichtslos war. »Ich wollte loskommen von Landshoff«, sagt sie heute, »natürlich. Nur – das war nicht so einfach. Und dann hat sich das tatsächlich in der Zeit ein bißchen überschnitten.«

Erst im Oktober 1938 hatte Landshoff mit Rini Otte die Manns in Princeton besucht und dabei eitel Liebesglück demonstriert, sehr zur Pein von Elisabeth. Nur wenige Wochen danach, Anfang November 1938, betrat Professor Borgese erstmals das Backsteinhaus in der Stockton Street. »Mit ihm im Salon«, notierte Thomas Mann im Tagebuch, »Plan seiner Organisation ›Committee on Europe‹. Dinner mit ihm und (Erich von) Kahler. Disput über Fascismus und Menschheitsdämmerung, übertrieben.«[18]

Wie immer hatte Elisabeth den Gast von der Bahn abgeholt, und sie war aufgeregt. »Borgese kam nach Princeton, um meinen Vater für ›The City of Man‹, einen Sammelband mit Aufsätzen gegen den Faschismus, zu gewinnen. Er sollte von einer Gruppe hervorragender Intellektueller erarbeitet und verantwortet werden, und ihm lag daran, daß es nicht nur ein Manifest gegen etwas ist: Man sollte bereits darüber nachdenken, was nach dieser Zeit kommt.« Beim Tee und bei den Besprechungen durfte Elisabeth dabeisein und konnte feststellen, daß ihre idealisierten Vorstellungen vom sizilianischen Prinzen sich angesichts der Realität nicht in Luft auflösten. Anscheinend gefielen dem bereits ergrauten Professor ihre jugendliche Ehrfurcht, ihr echtes Interesse und ihr frischer Anblick: »Er hat sehr schnell gemerkt, wie beeindruckt ich von ihm war.«

Tatsächlich war Borgese eine imposante Erscheinung, extrovertiert, ein glänzender Redner, wenn auch mit einem gewissen Hang zum Apodiktischen sowie einer leidenschaftlichen Kompromißlosigkeit. Als humanistisch geprägter Sozialist verübelte er der katholischen Kirche ihr Hand-in-Hand-Gehen mit dem Faschismus. Er trug also, wie manche meinen, »Züge des Settembrini aus dem ›Zauberberg‹«[19], jenes der Aufklärung, dem Fortschritt und der Vernunft verpflichteten Mentors des jungen Hans Castorp. Elisabeth sah Borgese als »Renaissance-Talent: Er war ein Sprachgenie, konnte Deutsch und Französisch und hatte Englisch praktisch erst mit der Emigration gelernt, als er schon über fünfzig war. Seine Vorlesungen an der Universität waren ungemein eindrucksvoll. Dazu hatte er eine starke dichterische Begabung.«

»Standard sexy«, so Elisabeth, war Borgese nicht. Die kräftigen Augenbrauen verliehen dem prägnanten Gesicht eine Strenge, die auch die vollen Lippen nicht wirklich mildern konnten. Unattraktiv konnte man ihn aber beileibe nicht nennen: Von ihm ging eine eigentümliche Faszination aus, »eine dämonische Anziehungskraft«, so Elisabeth, »Rasputin-artig. Er war ein Homme aux Femmes, und alle Damen sind hinter ihm hergerannt.«

Ihnen wollte sie nun nicht nacheifern. Doch so scheu sie immer gewesen war, ihre Zielstrebigkeit und Beharrlichkeit übertrafen die Schüchternheit um einiges, und so bat sie Erika und Klaus, für ein Zusammentreffen zu sorgen. Die großen Geschwister, vielleicht ganz erleichtert, die Schwester vom alten Kummer abgelenkt zu sehen, erwiesen sich als hilfreich. Beide trafen Borgese häufig in Emigrantenkreisen. Klaus nahm »Medi« mehrfach in New York zu Dinner-Parties oder anderen Veranstaltungen mit, bei denen sie sich dem italienischen Professor nähern konnte, und auch Erika förderte, wo möglich, Begegnungen, wahrscheinlich ganz überflüssigerweise. Denn Borgese hatte längst an Elisabeth Wohlgefallen gefunden: »Er sagte, ich solle ihn in New York besuchen. Das habe ich dann getan.«

Die Romanze zwischen dem ungleichen Paar entwickelte sich rasant. Einmal pro Woche hatte Elisabeth in New York Klavierstunde, und diese Fahrten ließen sich gut mit Abendessensverabredungen kombinieren. Nach etlichen Treffen stand fest, daß die Sache ernsthaft werden würde, was in den Augen des konservativen Borgese wohl schon der deutliche Altersunterschied und die Herkunft des Mädchens verlangten. Für eine »anständige« Beziehung wollte er sich auch gerne von seiner Frau scheiden lassen, von der er seit neun Jahren getrennt lebte.

Im Laufe des Winter 1938/39 wurde Borgese mehrmals in Princeton vorstellig, um mit Thomas Mann »über Italien u. Deutschland und über seine Idee einer Corporation freier Geister als Weltautorität«[20] zu sprechen. Private Anliegen anzusprechen, vermied der auf Freiersfüßen wandelnde Professor offenbar. Ende Februar 1939 jedenfalls notierte Thomas Mann erstaunt im Tagebuch: »Auf dem Spaziergang berichtete mir K. (Katia) von dem Verhältnis zwischen Medi u. Borgese, der sie zu heiraten wünscht.«[21] Seine Einschätzung dieser Verbindung: »Rührend und seltsam«[22].

Auf die Liaison ihrer jüngsten Tochter reagierten Thomas und Katia Mann keineswegs mit heller Begeisterung. »Sie waren natürlich sehr besorgt«, sagt Elisabeth. Vor allem ihr Vater mußte sich erst daran gewöhnen, daß sein zukünftiger Schwiegersohn nur sieben Jahre jünger war als er selbst. Eher verdrießlich vermerkte er an »Medi's 21. Geburtstag« im Tagebuch, sie habe »21 Nelken von Borgese« erhalten – »und Geschenke von uns«[23]. Doch daß sein Kindchen sonderbar starrköpfig an etwas festhalten konnte, wußte er inzwischen. Außerdem verbot die Liberalität, die innerhalb der Familie immer hochgehalten wurde, den Eltern, sich dem Glück ihrer Tochter in den Weg zu stellen; und im übrigen waren sie durch die »Freundchen« und »Eulen«, die Klaus und Erika gelegentlich mit nach Hause brachten, ohnehin einiges gewöhnt.

Heimlichkeiten und Versteckspiele mußte Elisabeth mit ihrer ersten wirklichen Liebe also nicht betreiben. Schon im Sommer verreiste sie mit Borgese für drei Monate nach Mexiko, wo der Autor sein lange geplantes Großprojekt »Montezuma« während eines Forschungsfreisemesters am Originalschauplatz schreiben wollte. Zuvor hatte Borgese in einem ausführlichen Brief bei Thomas Mann offiziell um Elisabeths Hand angehalten. In ihrer Verbindung, so Borgese recht pathetisch, sehe er ein Symbol der geistigen Allianz zwischen Thomas Mann und sich selbst, und er hoffe, die Entfaltung von Elisabeths Persönlichkeit fördern zu können. Wohlweislich erwähnte er auch, daß er das junge Mädchen nicht halten werde, sollte es sich anders besinnen. Er schlage daher vor, Elisabeth nach Mexiko mitzunehmen. Danach könne sie frei entscheiden – er aber stehe fest zu seinem Ehewunsch.[24]

Dem konnte sich der nervöse Vater schlecht versperren. Kurz vor einer Reise nach Europa antwortete er dem künftigen Schwiegersohn, entwaffnet und gleichsam schicksalsergeben: »Lieber Freund Borgese: Für Ihren lieben Brief wollen meine Frau und ich Ihnen gemeinsam danken, daher diktiere ich ihr, wie wir es bei intimerer Korrespondenz gewöhnt sind. Wir haben Ihren Brief mit Rührung und Sympathie gelesen. Er ist wirklich ein gewinnender Ausdruck Ihrer Persönlichkeit ... Es sei alles, wie Sie sagen! Wir lassen unsere Elisabeth zurück im Vertrauen, daß ihr guter Engel oder wie man den Lebensinstinkt nennen will, der uns leitet, ihr das Rechte zu tun, eingeben wird. Wir können nur sagen, daß wir eine Verbindung von Herzen begrüßen würden, die uns im Persönlichen glückverheißend und im Überpersönlichen schön und sinnvoll dünkt.«

Auf den guten Engel allein nicht vertrauen zu müssen erleichterte die Eltern spürbar. Der Bewerber schien ehrenhaft: »Was uns besonders gefreut hat in Ihrem Brief, ist Ihr Urteil über Medi, die, wie wir ohne elterliche Überheblichkeit sagen möchten, zutreffende Kennzeichnung ihres Charakters. Die ›loyalty of her heart‹, das scheint uns in der Tat das Beste und Richtigste, was man von ihr sagen kann, und auf diese loyalty können wir alle vertrauen. Sie werden verstehen, daß das ganze Problem seine melancholische Seite für uns hat, und daß wir recht sehr vereinsamen werden, wenn es kommt, wie es scheint kommen zu sollen, aber das ist das Gesetz der Zeit und des Lebens. Medi ist noch so jung und kindlich, daß schon diese experimentelle und weite Trennung besonders meiner Frau schwer fällt. Gerade darum hat sie Ihren Brief, der so reich an Gefühl und Verständnis ist, so wohltätig empfunden.«[25]

An moralische Bedenken der Eltern gegen die Mexikoreise kann sich Elisabeth nicht erinnern. Womöglich, mutmaßt sie heute, wären die Eltern sogar erleichtert gewesen, hätte das Paar nach der Reise von seinen Ehewünschen Abstand genommen. Doch der Sommer 1939 in Mexico City, damals eine ungewöhnlich aufregende Stadt, in der auch Trotzki lebte, verlief ermutigend. In der hübschen kleinen Pension »Montejo« übte Elisabeth Klavier, während Borgese an seinem Opus schrieb. Miteinander sprachen die beiden englisch; denn Deutsch wollte Borgese privat nicht hören. Sie sahen wenig andere Leute, gingen abends in die Oper und staunten, wenn das Publikum, um seiner Begeisterung Ausdruck zu verleihen, Tauben fliegen ließ.

Ihre anfängliche Scheu Borgese gegenüber verlor Elisabeth rasch. Sie anerkannte seine Überlegenheit und bewunderte sein politisches Engagement. Er seinerseits war bezaubert von ihrer Jugend, ihrer eifrigen Wißbegierde und Wachheit. In den zahlreichen Briefen der Verlobungszeit, die zwischen beiden hin- und hergingen, präsentierte sie sich ihrem künftigen Mann als munter plaudernde, kluge Schülerin, die von ihrer Lektüre, ihren Studien (»Ein guter Tag: Viel Üben, 15 Seiten Ulysses, und ein Kapitel Stenographie«[26]) und ihren Eindrücken über die politische Zuspitzung in Europa berichtete. Nach einem Besuch mit den Eltern auf dem noblen Meyerschen Landsitz in Mount Kisco schrieb sie Borgese begeistert vom »Badezimmer, groß wie ein Tanzsaal«, das zu ihrem Gästezimmer gehörte, den Champagnercocktails und Ausritten, konstatierte dann jedoch, diese Leute seien »ekelhaft« reich; und kommunistisch, wie sie sich hier fühle, hege sie den Wunsch, daß die Russen einmarschierten und die Gastgeber enteigneten. Immerhin gratulierten diese ihr herzlich zur Verlobung mit Borgese, die Thomas Mann ausgeplaudert hatte: »Was für ein brillanter Mann! Wie alt ist er? 42?«[27]

Der Ton ihrer Briefe ist zärtlich. »Es ist unglaublich, wieviel

Weisheit und Wissen Du in einem sehr, sehr kurzen Leben angesammelt hast«, wundert sich Borgese liebevoll, »Du sagst, ich mache Dich jung? Diese Worte leuchten ... So mach auf ewig mich wieder jung.«[28] »*Very dear*«, schreibt Elisabeth kurz vor der Hochzeit, »Weißt Du, daß ich ruhelos werde, wenn Du mir länger als zwei Tage nicht schreibst? Es ist Deine Schuld, Du hast mich verwöhnt.«[29] Zweifelt Borgese eifersüchtig an ihren neuerdings brüderlichen Gefühlen für Landshoff, so beschwört sie ihn leidenschaftlich, ihr zu glauben, sie sage ihm doch jede Kleinigkeit, und je länger sie ihn liebe, desto mehr schwinde die anfängliche Gefahr eines Rückfalls. Nun liebe sie ihn, Borgese, mehr als alles.[30] Ihre meist englisch, aber auch italienisch und deutsch angereicherten Schreiben an »*molto caro*« zeichnet sie als »*tua E.*«, als »Deine Sekretärin, Chauffeur, Köchin, Pianistin und Ehefrau E.«[31]

Am 23. November 1939 heirateten Elisabeth und Giuseppe Antonio Borgese in Princeton. Die Hochzeit fiel auf Thanksgiving, eine Koinzidenz, auf der Borgese ebenso bestanden hatte wie auf einer kirchlichen Trauung, die Elisabeth wie die gesamten Feierlichkeiten als bloße Formalität empfand. Sie fühlte sich in ihrem Brautkleid gräßlich verkleidet, bot aber in den Augen ihres Vaters darin einen sehr rührenden Anblick.[32] Nach dem Gottesdienst in der Unitarian Church – Trauzeugen waren Roger Sessions, Musikprofessor und Freund des Bräutigams, und Hermann Broch – gaben die Brauteltern in ihrem Haus ein Hochzeitsdinner, und laut Elisabeth trug die Feier unter dem Eindruck des Einfalls deutscher Truppen in Polen den Charakter einer »ziemlichen Antifaschismus-Demonstration«: der aus dem faschistischen Italien vertriebene Gelehrte und die Tochter der »moralischen Instanz des geistigen Deutschlands« Thomas Mann, den die Nationalsozialisten ausgebürgert hatten... Die Nachbarn brachten als kurioses Hochzeitsgeschenk ein wie zum Hohn gerahmtes Portrait von Hitler und Mussolini. Erikas Gatte, der Lyriker W.H. Auden, trug ein selbst-

Elisabeth und ihr Mann Giuseppe Antonio auf Hochzeitsreise, 1939

verfaßtes Gedicht vor, in dem »die Genien abendländischer Kultur als Schutzheilige des italienisch-deutsch-amerikanischen Paares beschworen« wurden, wie Klaus Mann bewegt notierte.[33] Ergriffenheit auch beim Brautvater, der am Hochzeitstag seine Tagebucheintragung gedämpft mit den Worten begann »Tage von großer Bedrücktheit, Schwermut, Gemütsleiden«, um ebensowenig heiter fortzufahren: »Heute Medi's Hochzeit ... Weinte vor Nervenschwäche ... Sehr leidend und abgeneigt ...«[34]

Nein, gern sah er sein Kindchen nicht ziehen. Und ein wenig befremdend fand ja nicht nur er die Konstellation. Erika schrieb ihm wenige Tage nach dem Abschied ein liebevoll tröstendes Briefchen: »Ich höre ... Du seist ›ein wenig zart und traurig‹ gewesen, – neulich abend, als unsere Prinzessin Dulala den munteren Greis (der sich mir gegenüber ja selber als sommerliche Abendsonne bezeichnet hat, – stark, schön und golden, – aber eben doch abendlich!) heimgeführt hatte und er sie wegführte aus der Stocki. Ich habe sehr an Euch gedacht, in diesen Tagen, – denn natürlich ist es, – a) melancholisch im allgemeinen, – wenn das Kindchen fortgeht, – und, b) ist es natürlich ein bißchen schreckhaft, daß es gerade dahingeht, das trotzlige Sonderlingl.«[35] Auch Klaus wunderte sich in seinem Journal darüber, daß Medi ziemlich glücklich scheine, »der überreife Bräutigam ist es jedenfalls, trotz aller stolzer Empfindlichkeit«. Etwas mitleidig bedauerte er die Eltern, »jetzt so allein in dem großen Haus. No children around.«[36]

Auch die Route der kurzen Hochzeitsreise war mit Bedacht gewählt. Borgese, der damals schon die amerikanische Staatsangehörigkeit besaß – Elisabeth erhielt sie erst 1941 – und die US-Demokratie glühend verehrte, bestand auf einer »patriotischen Reise« nach Virginia zur Geburtsstätte der Demokratie ins Haus des ersten US-Präsidenten, George Washington, und ins institutionelle Herz der Vereinigten Staaten, nach Washington selbst. An einer »sentimental journey« mit Strand, hübschen Kleidern und Cocktails im Sonnenuntergang hätte Elisabeth ohnehin kein Interesse gehabt. »Ich wollte es genau so.« Auf einer Photographie, aufgenommen während der Reise, wirken beide jedenfalls sehr glücklich, Elisabeth, schmal geworden, mit kurzen, glänzenden Haaren, trägt einen Pelzmantel und strahlt die neue, schmückende Würde der verheirateten Frau aus, neben ihr der dynamische Borgese mit stolzem Lächeln, unterm Arm die Zeitung.

Mit kindlicher Anhänglichkeit schrieb Elisabeth ihren Eltern selbst von der kurzen Reise nach Virginia einige Zeilen. Und auch das Weihnachtsfest verbrachte das Paar bei Manns in Princeton, wo sich Erika und ihr damaliger Lebensgefährte Martin Gumpert, ein Berliner Arzt und Schriftsteller, der nach New York emigriert war, ebenso eingefunden hatten wie Klaus und die befreundeten Ehepaare Frank und Kahler. Elisabeth und Borgese blieben nur einige Tage, und kaum hatten sie einmal den Raum verlassen, diente das junge Glück der Familie als Gesprächsthema.

»Heiter-Wunderliches über Medi«[37] gab es da zu berichten. Daß der Professor durchaus anstrengend sein konnte, ließen seine schnell explodierenden Reden, noch angefacht vom Kriegsausbruch in Europa, ahnen. Er verstieg sich gerne in irgendwelchen Theorien, und die »leicht manische Überschätzung aller italienischen Elemente im komplizierten Kräftespiel« ging nicht nur Klaus etwas auf die Nerven, der den Schwager »wirr-romantisch, durch enorme Eitelkeit, äußerste Empfindlichkeit erst recht penetrant« fand, andererseits dann aber seine »kindlich spontane, gescheite, herzliche Art« mochte. Und eines berührte jeden: Borgeses »stolz-väterliche Liebe zu seiner ›Elisabeth‹«.[38]

Die Frau des Professors

In Chicago erkannte Elisabeth, daß für sie ein neues Leben begonnen hatte. Zum einen hatte sie nun endgültig die Geborgenheit ihres Elternhauses hinter sich gelassen, in dem sie, als einziges der sechs Kinder, bis zu ihrer Hochzeit gelebt hatte. Zum anderen wurde ihr nun endgültig klar, daß sie einen Italiener geheiratet hatte: Sie mußte kochen lernen. Ihre Fähigkeiten im Haushalt hätten sich bis dahin auf Geschirrabräumen beschränkt, behauptet Elisabeth: »Ich konnte nichts.« Nicht einmal die Betten habe sie im von Personal verwöhnten Zuhause machen müssen.

Zum Glück bot eine gewisse Miß Balsamo, sizilianische Studentin und glühende Verehrerin Borgeses, die ihn lange vergeblich angeschmachtet hatte, der Rivalin ihre Hilfe an, zeigte Elisabeth, wo man in Chicago original italienische Würste, Schinken und Gewürze kaufen konnte und wie man Pizza zubereitete. Elisabeth lernte schnell und hielt sich streng an die Balsamo-Rezepte. Was dennoch nicht verhinderte, daß Borgese, zu Gast bei Miß Balsamo, sich nach dem Probieren mit leisem Vorwurf seiner Frau zuwandte: »Siehst du, so muß eine Pizza schmecken.«

Das Paar lebte in der Junggesellenwohnung Borgeses im Hotel Windermere, im Süden Chicagos gelegen mit hübschem Blick auf den Michigan-See. Daß das Apartment mit seinen zwei Zimmern, der kleinen Küche und dem Bad nicht dem von zu Hause gewohnten Standard entsprach, störte Elisabeth nicht. Auch über die spießige Hotelmöblierung sah sie hinweg. Immerhin folgte bald der Bechstein-Flügel, den Thomas Mann seiner Tochter hatte schicken lassen. Ärmlich lebte man dennoch nicht; Borgese bezog ein auskömmliches Professorengehalt, und für ein schwarzes Hausmädchen, das beim Saubermachen half, reichte es allemal. Von ihren Eltern, die den großen Kindern, vor allem Klaus, lebenslang eine monatliche Zuwendung zahlten, wollte Elisabeth keine nennenswerte finanzielle Unterstützung in Anspruch nehmen: »Ich hatte mit ihnen abgemacht, daß ich mir von ihnen helfen lasse, bis ich fünfundzwanzig bin. Dann muß ich selbständig sein. So war es auch. Bis dahin haben sie meine Klavierstunden gezahlt.«

Die tatsächliche Veränderung bestand natürlich darin, daß Elisabeth erstmals ein eigenverantwortliches Leben führte, das sie zunächst ganz in den Dienst ihres Mannes stellte. Als Aufopferung empfand sie dies keineswegs. Wie ihre Mutter sah sie sich in der

Rolle der Ehefrau eines genialen Mannes, der mit Großem beschäftigt war und dessen künstlerisches Schaffen sie unterstützen wollte, auch wenn die streng geordnete akademische Welt sich deutlich von der vertrauten künstlerischen Atmosphäre von Literatur, Musik und Theater unterschied. Diese freiwillige Unterordnung paßte zu ihren eigenen Wünschen und Zielen. Elisabeth wollte lernen, und sie wollte zu jemandem aufblicken. Als Schülerin ihres Mannes konnte sie das.

An der Universität Chicago besuchte sie seine Vorlesungen über politische Wissenschaften und italienische Literatur. Bei Borgese hörte sie die gesamte »Divina Commedia« von Dante, beschäftigte sich mit Machiavelli, begann, als seine Assistentin die Korrespondenz zu erledigen. Außerdem nahm sie weiterhin Klavierunterricht, wenngleich sie die Idee, je als Konzertpianistin aufzutreten, längst hatte fallenlassen. Und noch immer stand sie frühmorgens auf, um ihre anthropologischen und biologischen Studien fortzuführen: Das Emanzipationsthema beschäftigte sie weiterhin. Vage spukte ihr ein Buch im Kopf herum. Giuseppe Antonio Borgese wußte von den akademischen Gehversuchen seiner jungen Frau, und »theoretisch«, so Elisabeth, »begrüßte er das Projekt. Praktisch aber wollte er eigentlich, daß ich mich nur für ihn interessierte.« Zum Frauenthema stand er »so ähnlich wie Dante. Wie die Italiener eben so sind: theoretisch Frauen- und Marienverehrer, praktisch aber doch sehr dominant«.

Ähnlich verhielt es sich mit den Gepflogenheiten in Borgeses gesetzten akademischen Kreisen, aus denen seine junge Ehefrau herausstach. Zudem war Elisabeth nicht gewillt, sich dem üblichen Dresscode einer Professorengattin mit Kleid, Pumps und Hut anzupassen. Noch mehr störte sie die altmodische Sitte, nach der sich Herren und Damen nach dem Dinner trennten. Langweiligem Damengeplauder lauschen zu müssen, während die Herren bei einer Zigarre über Politik und Philosophie debattierten, »hat mich

Als »Assistentin« Giuseppe Antonio Borgeses in Chicago

ungeheuer erbost. Und als sich die Damen wieder einmal zurückziehen sollten, bin ich einfach sitzen geblieben«. Mit Billigung Borgeses? »Mehr oder weniger …«

Von solch kleineren Eigenwilligkeiten abgesehen, führten die Borgeses in ihren ersten gemeinsamen Jahren ein sehr harmonisches, glückliches, geistig anregendes Eheleben. Waren sie getrennt, etwa weil Borgese auf Vortragsreise unterwegs war oder weil Elisabeth ihre Eltern besuchte, schrieben sie sich ebenso herzliche und zärtliche Briefe wie zu ihrer Verlobungszeit, in denen sich Borgese dann sehnsüchtig bei seiner »Cara Carissima« beklagte, er müsse soviel arbeiten, weil er die abendliche Heimkehr ins vereinsamte Haus scheue: »... es ist zu voll von Deiner Abwesenheit«[39]; er sandte seiner »Monsterli« Küsse auf die fünf Fingerspitzen ihrer Hand sowie herzliche Grüße an sein Töchterchen, »Miß Borgese«.

An Kinder hatte Elisabeth ursprünglich keinen Gedanken verschwendet, der Wunsch erwachte erst nach der Hochzeit. Und Borgese, bereits Vater erwachsener Kinder, verspürte zunächst wenig Lust auf eine Familienidylle mit schreienden Störenfrieden. Er wollte die Aufmerksamkeit seiner jungen Frau lieber uneingeschränkt auf sich konzentriert wissen, und Elisabeth mußte »schon ein bißchen darauf bestehen«. Doch es bedurfte keiner großen Überredungskünste. Bereits zwölf Monate nach der Hochzeit wurde am 30. November 1940 die erste gemeinsame Tochter geboren, Angelica, genannt »Gogoi«. Am 6. März 1944 folgte Dominica, »Nica«. Beide Mädchen hatten das dunkle Südländische ihres Vaters geerbt und waren ihm wie aus dem Gesicht geschnitten.

Borgese entpuppte sich als leidenschaftlicher Vater. Der Sechzigjährige verfiel auf wilde Spiele mit seinen temperamentvollen Töchtern, ein guter Pädagoge war er zum Leidwesen seiner Frau jedoch nicht. Er animierte die Mädchen zu größter Ausgelassenheit, und wenn sie dann zu übermütig wurden, versuchte er oft hilflos und vergebens, die Aufregung in den Griff zu bekommen, was stets mit Tränen endete.

Elisabeth blieb während dieser ersten glücklichen Jahre mit den Kindern überwiegend zu Hause. Weiterhin aber betrachtete sie sich als Borgeses Schülerin und setzte ihre Studien in kleinen Schritten daheim fort. Nur das Klavierspiel blieb auf der Strecke. Die Assistenz für ihren Mann kam neben den zwei Kindern nicht zu kurz,

Die Borgeses mit ihrer älteren Tochter Angelica, 1941

und um Borgese effizienter als Sekretärin helfen zu können, hatte sie sogar während der zehn Tage Krankenhaus nach der Geburt der ersten Tochter ein Lehrbuch für englische Stenographie durchgearbeitet. Beim zweiten Kind nahm sie sich italienische Stenographie vor.

Inzwischen war die wachsende Familie in ein größeres Holzhaus, das einem Kollegen Borgeses gehörte, in der Nähe der Universität von Chicago gezogen; so verfügte man über zwei Etagen mit Kinderzimmer und einem Zimmer für das schwarze Hausmädchen sowie einen kleinen Garten. Später wechselte sie in die erste »wirklich elegante« und geräumige Wohnung, mit Gästezimmer und Blick auf den See. Elisabeth, relativ gleichgültig gegenüber bürgerlicher Behaglichkeit, fand nun Geschmack an ihrer Rolle als Ehefrau und Mutter. Sie verbrachte viel Zeit mit den Töchtern, kochte und »führte die Bücher: das Bankbuch, die Rechnungen und so weiter. Aber mein Mann hat es schon kontrolliert«. Bei Einladungen spielte sie die Professorengattin, begleitete ihren Mann zu Gastvorlesungen nach Puerto Rico oder zu Konferenzen des PEN-Clubs nach Cuba. Borgese tauschte sich über alle politischen und philosophischen Fragen mit seiner jungen Frau aus, und geriet er ins Dozieren, bewunderte sie seine Intellektualität.

Mit ihren Eltern blieb Elisabeth eng verbunden. Zur Geburt der ersten Tochter waren Thomas und Katia Mann eigens nach Chicago gereist. Einmal in der Woche telefonierte Elisabeth ausführlich mit ihrer Mutter, und viele Briefe gingen zwischen Chicago und Princeton hin und her. Immer wieder besuchte sie, entweder mit Borgese oder allein mit einem, später mit beiden Kindern, ihre Eltern. Man frühstückte gemeinsam, ging spazieren, spielte mit dem »Mittelmeerprinzeßchen«, wie Thomas seine ältere halbitalienische Enkelin mit den dunklen Locken und dem mediterranen Teint nannte. Abends bat Elisabeth oft darum, daß der Vater wieder einmal vorlesen möge, aus dem »Joseph« oder der »Lotte in Weimar«, und er registrierte zufrieden die »große Rührung Medi's«[40].

Die Anhänglichkeit an die Eltern beruhte auf Gegenseitigkeit. Des Vaters »frühere Zärtlichkeit für mich ist geblieben«, sagt Elisabeth. Das Einverständnis zwischen Mutter und Tochter festigte sich, je älter Elisabeth wurde. Der patenten und unempfindlichen Jüngsten konnte Katia auch ihre Sorgen um die anderen Geschwister anvertrauen. Vor allem bedrückten sie die schweren Depressionen von Klaus. Dessen englischsprachige Literaturzeitschrift »Decision«, für die so prominente Autoren wie Carson McCullers, Heinrich Mann, Franz Werfel und Jean-Paul Sartre geschrieben hatten, mußte 1942 nach nur einem Jahr aus finanziellen Gründen eingestellt werden, für Klaus ein Gefühl des desaströsen Scheiterns, das ihn in jenen Jahren allzu häufig beschlich. Im Sommer 1941 hatte er zum ersten Mal versucht, sich das Leben zu nehmen.[41] Auch in der Liebe fand er keinen Halt. Der Beziehung zu dem Amerikaner Thomas Quinn Curtiss, genannt «Tomski», seiner großen Passion, war zum Schmerz beider keine Dauer beschieden. Hinzu kamen Auseinandersetzungen innerhalb der Familie. 1942, als Klaus im neuen kalifornischen Elternhaus in Pacific Palisades zu Gast war, kam es zwischen ihm und Thomas Mann zu handfesten Streitereien über Amerikas Eintritt in den Zweiten Weltkrieg, den Klaus im Gegensatz zum Vater ablehnte. »Im Hause geht es auch nicht besonders harmonisch zu«, schreibt Katia an Elisabeth, »weil Aissiklaus ständig … – er ist merkwürdig antirussisch und laulicht pazifistisch – sich mit der Eri zankt und neulich auch mit Herrn Papale aneinandergeriet, was soviel Aufregungen im Gefolge hatte, daß dieser schier krank wurde und zwei Tage im Bett lag.«[42] Daß Klaus an sich und dem eigenen Anspruch so litt, bekümmerte die Mutter: »Dies ist ja leider auch ein quälendes Kapitel«, schrieb sie Elisabeth, »Wie Du mit Recht sagst, ist er zu dem, was ihm wahrscheinlich erreichbar wäre, zu hochmütig, und wie dies auf die Dauer gehen soll, sehe ich gar nicht.«[43]

Auch Monika machte ihren Eltern Kummer. 1940 hatte sie ihren Mann, den ungarischen Kunsthistoriker Jenö Lanyi, auf tragische Weise verloren. Bei der Überfahrt auf der »City of Benares« nach Amerika hatte ein deutsches U-Boot das Passagierschiff torpediert; Lanyi ertrank, Monika überlebte. In Amerika lebte sie bei ihren Eltern, zunächst in Princeton, später in Pacific Palisades. Das enge Zusammenleben indes, das der traumatisierten Tochter wieder aufhelfen sollte, entwickelte sich für alle Beteiligten zur Belastung. Monika, stets Außenseiter, irritierte ihre Eltern in ihrer Faulheit, Verwöhntheit und ihrem mangelnden Entgegenkommen so sehr, daß die ganze Familie sich zu Krisensitzungen zusammenfand und Thomas Mann im Tagebuch seiner »Erbitterung über ihre Existenz die Zügel schießen« ließ.[44] An Elisabeth schrieb Katia resigniert, Monika habe sich »zur Rolle des völlig unnützen Sonderlings entschlossen, kommt abends nicht mehr, auch nicht, wenn so alte Freunde von ihr da sind, wie zum Beispiel gestern Neumanns, und sitzt nur noch Mittags bleich und starr dabei«.[45]

Mit Elisabeth gab es solchen Ärger nicht, im Gegenteil, verständig bot sie sich als Ratgeberin und Trösterin an. Sie war nicht kapriziös wie Monika, nicht schwermütig wie Klaus, kein Eigenbrötler wie Golo, nicht hart wie Erika, ohne Jähzorn wie Michael. Sorgen bereitete den Eltern höchstens, daß Elisabeth seit der Geburt ihrer Töchter augenscheinlich zart war. Dem allzu schmalen und blassen »Herzensdingerle« legte Katia brieflich nahe, sich an einen Arzt zu wenden, »damit Du ein etwas kräftigerer Kohlweißling wirst«[46]. Private, gar intime Gespräche führte Elisabeth mit der Mutter, nie aber mit dem Vater. Noch immer hörte sie ihm lieber zu, als daß sie viel erzählt hätte: »Ich kam mir nicht wie ein richtiger Gesprächspartner für ihn vor.« Nur einmal, erinnert sie sich, habe sie sich frei und ungehemmt mit ihm unterhalten, 1945, auf der Feier zu seinem siebzigsten Geburtstag in New York. Ihre Familie hatte Elisabeth in Chicago gelassen, und sie genoß den Ausflug in die Stadt, in der sie noch viele Freunde aus der Musikwelt hatte. »Die stellten sich dann ein, und mit jedem nahm ich einen kleinen Morgentrunk. Und als das offizielle Mittagessen begann, war ich schon ziemlich heiter. Ich saß neben meinem Vater und habe mich in diesem Zustand glänzend mit ihm unterhalten. Von gleich zu gleich: über Dichtung, Musik und wie es ist, wenn man auf deutsch und auf englisch schreibt.«

Thomas Mann wird nicht unglücklich gewesen sein, daß seine Medi ohne Borgese gekommen war. Schon früh erwies sich das Verhältnis zwischen Schwiegervater und beinahe gleichaltrigem Schwiegersohn als schwierig. Borgeses lautes und bestimmtes Auftreten drängte andere schnell an den Rand, was speziell Thomas, selbst nicht uneitel, nicht goutierte. Mit einem Wort: Giuseppe Antonio Borgese, ein leidenschaftlicher Redner und Salonlöwe, provozierte beim zurückhaltenderen Schriftsteller schlechte Laune. Dabei waren die Auslöser meist recht unbedeutend, erinnert sich Elisabeth. »Einmal waren wir bei meinen Eltern in Pacific Palisades. Nun schätzte es mein Vater, wenn es sich ein bißchen um ihn, den Hausherren, drehte. Statt dessen saßen die weiblichen Gäste Borgese zu Füßen, der ununterbrochen predigte. Das hat meinen Vater schon gegiftet. Und er mochte es auch nicht, wenn Borgese vor ihm durch die Türe ging.« Katia Mann bat dann ihre Tochter, ihren Gatten zu ein wenig Mäßigung anzuhalten.

Intellektuell freilich bewegten sich beide auf einer Ebene, und Thomas respektierte den Ehemann seiner Tochter. Darüber, daß »Medi« nach den jungen Jahren in prominentem Elternhaus nun wieder an der Seite einer großen Persönlichkeit lebte, machte er zärtliche Scherze. Ihre Ausgabe eines »Joseph«-Romans widmete er »Medi dem Kindchen«, das er als »wife of – and daughter of –« neckte, »verdient und lieb vom alten Herrnpapale«.[47]

Die Weltverfassung

Seit Jahren beschäftigte Borgese die Frage, wie die Welt den europäischen Faschismus hätte verhindern können und welche politische Neuordnung sie künftig vor ähnlichen Katastrophen zu bewahren vermöchte. Schon vor dem Ende des Zweiten Weltkriegs hatte er in seinen Büchern »The City of Man« und »Common

Familienbesuch: Elisabeth mit den Töchtern Angelica und Dominica in der Mitte, rechts Michael Mann mit seiner Frau Gret

Cause« dieses Thema behandelt. Im Vorwort von »Common Cause«, erschienen 1943, dankt er Elisabeth für ihre Hilfe. Namhafte Unterstützung gewährte ihm auch Thomas Mann, der wie andere Persönlichkeiten »The City of Man«, jene »Erklärung einer Welt-Demokratie«, unterzeichnet hatte. Politisch standen sich Borgese und ihr Vater sehr nahe, meint Elisabeth. »Beide kamen als Nationalisten und Romantiker mehr oder weniger von ›rechts‹, beide wurden zu sozialistischen Humanisten oder humanistischen Sozialisten.« Und beide hielten nichts davon, die westliche Formel des Kalten Krieges zu adaptieren und den russischen Kommunismus mit dem Bösen des Nationalsozialismus/Faschismus gleichzusetzen.[48]

Das Ende des Zweiten Weltkriegs und die Atombombe von Hiroshima hatten Borgese in seiner Auffassung bestätigt, daß nun ein neues Zeitalter beginne. Die Angst vor einem nuklearen Holocaust, sagt Elisabeth, »war so groß wie heute die vor einer globalen Umweltkatastrophe«. Die technologische Entwicklung hatte Gefahren heraufbeschworen, denen mit Hilfe herkömmlicher Institutionen kaum noch beizukommen war. Die Amerikaner fühlten sich zum ersten Mal in ihrer Geschichte wirklich verwundbar; denn bislang hatten die modernen Kriege außerhalb ihres Landes stattgefunden. Doch die nukleare Aufrüstung verstärkte die aggressiven Tendenzen in der Kriegführung und bedrohte auch ihren Kontinent. Wenn der Völkerbund, gegründet im Bewußtsein der Grauen des Ersten Weltkriegs, das Kommen des Zweiten nicht hatte verhindern können, so würde auch die Gründung der Vereinten Nationen, meinte Borgese pessimistisch, einen dritten Weltkrieg nicht aufhalten. Statt dessen glaubte er an eine starke Weltregierung, da nach seiner Auffassung nur diese die expansionistischen und egoistischen Bestrebungen einzelner Staaten unterbinden könne.

Im Jahr 1946 begann Borgese mit der Ausarbeitung seiner politischen Vision, seinem Entwurf einer Weltverfassung. Das »Komitee für die Weltverfassung« entsprang seiner Initiative, und er hatte das große Glück, in Robert M. Hutchins, dem Kanzler der Universität Chicago, einen engagierten Förderer gefunden zu haben. Hutchins sorgte dafür, daß die Universität Borgese ein ganzes Haus zur Verfügung stellte und fünf Angestellte finanzierte; was gedruckt werden mußte, übernahm die University Press. Das Komitee selbst bildete ein internationales Gremium amerikanischer, deutscher, französischer und italienischer Wissenschaftler. Die treibenden Kräfte waren neben Hutchins der Anthropologe Robert Redfield, der Rechtsphilosoph Mortimer Adler, der französische Literaturwissenschaftler Albert Léon Guérard und Thomas Manns alter Weggefährte Erich Kahler, der als Gastprofessor an der Cornell University lehrte. Ab 1948 begleitete eine neugegründete Zeitschrift die Aktivitäten der Idealisten: Nach dem Buch Borgeses trug sie den Titel »Common Cause«.

Hierin erschienen auch die ersten Veröffentlichungen aus Elisabeths Feder. Von Anfang an hatte sie die Arbeit ihres Mannes verfolgt, ihm ihre eigenen Ideen vorgetragen, ihn in mancher Hinsicht beeinflußt: »Ich glaube schon, daß ich einiges dazu beitragen konnte, und das hat er auch sehr geschätzt. Er wollte einen Mitarbeiter oder eine Mitarbeiterin, die ihm hilft, die Sache weiterzuentwickeln, und wir haben sehr intensiv zusammengearbeitet.«[49] Elisabeth suchte intellektuelle Herausforderung. »Ich bin viel philosophischer veranlagt als etwa meine Mutter, die die Familie immer als ihre einzige Mission gesehen hat. Ich kann nicht nur für die Familie leben. Ich muß etwas schaffen.« Sie nahm an den monatlichen Meetings teil, und sollten zu einzelnen Fragen gründlichere Recherchen angestellt werden, übernahm sie mutig das eine oder andere Thema. Nach Jahren privaten Studierens im Morgengrauen forschte sie nun im Auftrag einer Organisation und trat mit ihren Ergebnissen sogar an die Öffentlichkeit: Zu ihren ersten »background-papers« gehörte eine Studie über ständische Vertretungen und deren notwendige Repräsentanz in einem Welt-Parlament. Sie galt als wissenschaftliche Mitarbeiterin des Komitees, genoß die Anerkennung einer »research associate« und bezog ein festes Gehalt. Die akademische Laufbahn hatte begonnen – ganz ohne Studium.

Der idealistische Ansatz der Weltverfassung begeisterte Elisabeth. Man nahm an, daß das Wettrüsten nur Symptom, nicht aber Ursache aller Kriege sei. Der wahre Grund sei die soziale und wirtschaftliche Ungerechtigkeit in der Welt – und sie mußte bekämpft werden, indem man eine gerechtere Weltordnung schuf. Das Zeitalter der Nationalstaaten sei vorbei, die »Ära der Menschheit« müsse beginnen.[50] Entscheidend sei in diesem Zusammenhang eine globale Entmilitarisierung. Dem Komitee schwebte eine Weltregierung mit einem starken Präsidenten vor, ein Parlament mit neuartiger Zusammensetzung (nicht nur politische Parteien, auch Universitäten, Gewerkschaften etc. sollten darin vertreten sein) sowie ein Weltgericht, das aggressive Einzelstaaten in Schach halten sollte. Um soziale Gerechtigkeit zu gewährleisten, sollten Erde, Wasser, Luft und Energie, also sämtliche Ressourcen, zum Gemeinschaftseigentum der Menschheit erklärt werden.

Mit einem Wort: Die Weltverbesserer von Chicago hatten sich eine kompromißlose Utopie entworfen und gingen damit entschieden weiter als andere Anhänger weltföderalistischer Bestrebungen jener Tage. Details außen vor gelassen, fand die Idee des Weltföderalismus im Zeitalter der Atomenergie berühmte Anhänger: Albert Einstein zum Beispiel, Bertrand Russell, Jean-Paul Sartre, Albert Camus, Mahatma Gandhi und Indiens Staatspräsident Nehru. Etliche hatte Elisabeth für die Sache gewonnen, und sie sahen vor allem das gemeinsame Ziel: Frieden.

Die Weltverfassung, die Borgeses Komitee 1948 nach zweijähriger Arbeit vorlegte, war denn auch Gandhi gewidmet. Die Resonanz auf die Veröffentlichung erinnert Elisabeth als »sehr positiv: Die amerikanische Originalausgabe wurde in fünfzig Sprachen übersetzt und in Millionenauflage gedruckt.« Thomas Mann schrieb das Vorwort für die deutsche Ausgabe. »Man hat schon gewußt, daß sich so etwas nicht von heute auf morgen verwirklichen läßt«, bekennt Elisabeth, »aber es war ein Ziel, auf das man zuarbeiten konnte.« Der Geist stimmte, und er war visionär, davon ist Elisabeth noch heute überzeugt: Hat nicht auch das Gewicht der europäischen Nationalstaaten gegenüber dem der Europäischen Union abgenommen?

Je länger Elisabeth an der Weltverfassung und ihren Ausführungen mitgearbeitet hatte, desto sicherer fühlte sie sich auf akademischem Terrain: »Es war bestimmt so lehrreich wie ein Studium.«

Sie hatte gelernt, sich in politische und wirtschaftliche Themen einzuarbeiten, mit Doktoren und Professoren zu debattieren und sich zu behaupten. Und auch in den praktischen Dingen assistierte sie ihrem Mann. Ob es darum ging, bei Universitätspräsident Hutchins eine großzügige Aufstockung des Budgets zu erreichen oder ob man irgendwelches Equipment benötigte – Borgese schickte seine junge Frau, die mit Charme und Geschick erwirkte, was man wünschte. Er selbst war »kein guter Verhandlungspartner«, sagt Elisabeth, »viel zu aufbrausend und dominant«.

Das »Komitee aus Chicago« hatte sich mit dem Erfolg seiner ausgefeilten Weltverfassung einen Namen gemacht. Bald sprach sich zudem herum, daß die junge Ehefrau des Professors nicht nur weit angenehmer und verbindlicher auftrat als ihr genialer, aber ungeheuer aufbrausender Mann, sondern auch über das notwendige Fachwissen und Durchsetzungsvermögen verfügte. Die erste Europareise nach dem Krieg hatte sie zudem in ihrem Tun bestärkt. »Ich war mit meinem Mann 1948 in Rom und in München. Noch sah es überall ganz schlimm aus. Man empfand Entsetzen über den Wahnsinn der Menschen.« Daß bei einer Unterschriftenaktion für die Weltföderalisten auch berühmte Namen wie Albert Einstein auf dem Papier auftauchten, verdankte man ihr. Elisabeths Engagement für die gute Sache »wurde schon zum Familienscherz. Im Vorkriegs-München hatte nämlich in der Nachbarschaft ein gewisser Herr Bunzel gelebt, eine glatzige, O-beinige Lustspielfigur. Der hatte uns Kindern immer Witze und all seine Projekte erzählt, die er nie realisierte. Später fragte mich Golo dann oft, ob ich immer noch an der Weltregierung ›bunzele‹«.

Und als 1950 die »International Organisation of World Federalists«, der internationale Dachverband derjenigen, die eine Weltregierung anstrebten, einen Präsidenten suchte, fiel die Wahl nicht etwa auf Borgese oder andere verdiente Kollegen, sondern auf Elisabeth Mann Borgese, eine junge Frau von zweiunddreißig Jahren, ohne Lehrstuhl, ohne akademischen Titel. Die Gründe für die Entscheidung liegen für sie auf der Hand: »Ich war eben sehr aktiv und hatte mehr Ideen als die anderen. Es waren lauter Professoren in der Organisation. Aber besonders viele Vorschläge gemacht habe ich.«

Krisenjahre

Die zweite Hälfte der vierziger Jahre stand allerdings nicht ausschließlich im Zeichen der Politik, immerhin war Elisabeth Mutter zweier lebhafter Töchter. Und immer noch richtete sie es so ein, zwischen beruflichen und häuslichen Verpflichtungen ihre Eltern besuchen zu können. Katia und Thomas Mann lebten seit 1941 in Kalifornien. In Pacific Palisades, zehn Autominuten vom Pazifischen Ozean entfernt, hatten sie sich eine prächtige Villa inmitten eines schönen Gartens mit Orangen- und Zitronenbäumen sowie Palmen bauen lassen. Das Westküstenklima, wo es meist heiter und nachts sogar frisch war, behagte den beiden, und der Schriftsteller verfügte über das schönste Arbeitszimmer seines Lebens.[51]

Auch in Kalifornien hatte sich eine ganze Kolonie Deutschland-Flüchtiger niedergelassen, »und wo gute Nachbarschaft ist, wo gute Freunde sind, da ist ein anregender Kreis, ist Leben, ist Zuhause«, resümierte Katia in ihren Erinnerungen. Da in der Emigration »eigentlich jeder ein offenes Haus« hatte, herrschte reger Kontakt untereinander.[52] Oft half Thomas Mann nach, wenn ein Exilant Unterstützung benötigte, und der Name des Schriftstellers hatte in Amerika weitreichenden Einfluß. Mit gewissem Recht konnte er von sich behaupten, wo er sei, sei die deutsche Kultur.[53] Auch in der alten Heimat vernahm man seine Stimme: Bis Ende 1945 sprach Thomas Mann über die BBC London Radiobotschaften nach Deutschland, die den Titel »Deutsche Hörer!« trugen.[54]

Thomas Mann als Rundfunkredner, 1938

Auch seinen Bruder Heinrich unterstützte er in Kalifornien. Gemeinsam mit seiner Frau Nelly und dem Neffen Golo war Heinrich 1940 auf abenteuerliche Weise vor den Nationalsozialisten geflohen, zu Fuß über die Pyrenäen von Frankreich nach Spanien, von dort nach Lissabon. In Kalifornien angelangt, konnte Heinrich sich nicht etablieren. Bald war er auf die monatlichen Schecks seines ungleich erfolgreicheren Bruders angewiesen[55], der nach nach den so positiv aufgenommenen »Joseph«-Romanen nun am »Doktor Faustus« arbeitete. Dabei stand der ungleiche Erfolg weniger trennend zwischen den Brüdern als Heinrichs Frau. Katia und Thomas empfanden Nelly als vulgäre Schlampe. »Das Weib betrunken, laut und frech«, beklagte sich Thomas Mann im Tagebuch nach einem gemeinsamen Abendessen[56], nicht zum ersten oder letzten Mal, und nach Elisabeth nahmen die peinlichen Entgleisungen der üppigen, meist derangiert und alkoholisiert wirkenden Tante mit der

Zeit immer mehr zu. Doch hinter der heiteren Fassade verbarg sich offenbar ein depressives Naturell: Nach mehreren Selbstmordversuchen starb Nelly 1944 an einer Überdosis Schlaftabletten. Heinrich überlebte sie um sechs Jahre.

In Kalifornien besuchte Elisabeth ihre Eltern gern. Das moderne, bungalowartige Haus bot ausreichend Platz für sie und beide Töchter, das gesellschaftliche Leben willkommene Ablenkung. Sie begleitete Katia und Thomas zum Tee bei Feuchtwangers oder bei Bruno Walter oder zum Essen bei der Karikaturistin Eva Herrmann. Ohne Auto war man praktisch abgeschnitten, denn »die Emigrantenkreise waren weit verteilt. Man ging also nach Santa Monica, man ging nach Beverly Hills und Hollywood.« Die alten Bekannten Bruno Frank und seine Frau Liesl lebten in unmittelbarer Umgebung, in Beverly Hills der Dichter Franz Werfel mit seiner Frau Alma, für die Thomas Mann eine Schwäche hatte, obwohl sie nach Katias Dafürhalten »viel zuviel süße Liköre« trank.[57]

Insgesamt gestaltete sich das Leben in Kalifornien ungezwungen; besonders »ulkig« seien Lion Feuchtwanger und seine Frau Martha gewesen, erzählt Elisabeth. Martha, sehnig und hager, achtete streng darauf, daß der Autor der Trilogie »Erfolg«, »Die Geschwister Oppermann« und »Exil« keinen Bauch bekam. »Man wußte genau, daß er ein Verhältnis mit Eva Herrmann hatte, und seine Frau wurde bei uns ›der Strunk‹ genannt, weil sie so hart und mager war. Und der Strunk hat die Herrmann auch durchaus akzeptiert. Was ganz vernünftig war. Sie war froh, daß er sie hatte, und so führten die beiden eine gute Ehe.« Viele Jahre später, nach Feuchtwangers Tod, besuchte Elisabeth mit ihrer Mutter einmal Martha Feuchtwanger. Diese öffnete selbst, mager, mit Zopf, »und meine Mutter hat sie ziemlich formell begrüßt. Auf dem Heimweg fragte sie mich dann: ›Wer war denn noch der chinesische Diener, der die Tür aufgemacht hat‹?« Auf den Cocktail-Partys trafen sich Intellektuelle und Kreative der unterschiedlichsten Bereiche, Elisabeth lernte sogar einige Leute vom Film kennen, Ernst Lubitsch etwa oder den Schauspieler Emil Jannings, trotzdem blieben ihre zaghaften Bemühungen, die flüchtigen Bekanntschaften zu nutzen, um Borgeses »Montezuma«-Manuskript zu verkaufen, erfolglos.

Die Ehe der beiden war lange von großer Intensität und Emotionalität geprägt gewesen. Nun kamen die schwierigen Jahre. Zwar war Giuseppe Antonio Borgese stolz auf die beruflichen Erfolge seiner Frau, aber seine Haltung glich dabei eher dem Stolz eines Lehrers auf seinen Schüler. Er gönnte ihr das Amt der Präsidentin für die Weltföderalisten, spornte sie in ihrer Arbeit an, gleichzeitig aber verbitterte ihn die Einsicht, daß mancher Kollege sein dominantes Wesen als schwer erträglich empfand. Auch fühlte er sich hin- und hergerissen zwischen dem Bemühen, eine moderne Ehe zu führen und der keimenden Eifersucht auf die zunehmende Eigenständigkeit seiner Frau. In einem Brief beklagt er sich beinahe kindisch über Vernachlässigung; er habe in zwölf Tagen Abwesenheit lediglich zwei Schreiben Elisabeths erhalten, in denen sie nur unvollständig die Menschen aufzähle, die sie treffe, und wieso sie ihn denn »feindselig« nenne? Und weiter: »Komisch, das klingt nach schlechtem Gewissen.« Außerdem gefallen ihm ihre politschen Ansichten nicht, »die meine Rolle als Dein Lehrer (nanntest Du mich nicht so?) und Freund blamieren. Ich bin verletzt.«[58]

Ende der vierziger Jahre – Borgese näherte sich den Siebzig – brachte es das Alter mit sich, daß sein aufbrausendes, düsteres Naturell noch ausgeprägter wurde. Bisher hatte Elisabeth auf sein kompliziertes Wesen immer mit Nachsicht reagiert. »Interessante Menschen, geniale zumal, sind meistens kompliziert, und starke Persönlichkeiten haben Schattenseiten.« Inzwischen jedoch empfand sie ihn als »wahnsinnig schwierig«, als »besessen« von fixen Ideen. Kehrte sie von einer Verhandlung mit Hutchins zurück, in der Tasche die Zusagen, die sie für Borgese hatte durchsetzen sollen, argwöhnte dieser, sie habe ein Verhältnis mit dem Universitätspräsidenten. Konterte sie beim Abendessen nicht einen aus der Luft gegriffenen Vorwurf, fuhr er aus der Haut: »Ich konnte noch nie streiten«, sagt Elisabeth, »sondern schwieg immer. Also mußte er sich allein hineinsteigern und übernahm meine Antworten: ›Du würdest jetzt bestimmt sagen...‹«, bis er völlig die Fassung verlor. Teller flogen keine: »Er war ein Gentleman, ehrenhaft und hochanständig«, betont sie, »und ich habe ihn sehr verehrt. Aber er war eben unerträglich!«

Schärfere Worte kommen ihr auch heute nicht über die Lippen; Elisabeth taugte nicht für Szenen, duldete und litt still. Doch die Atmosphäre in Chicago muß zeitweise lähmend gewesen sein. Aus den Tagebüchern Thomas Manns geht hervor, wie erdrükkend er seinen Schwiegersohn bei Besuchen erlebte. »Chauvinistisch italienisch«[59] fand er ihn, die »lauten Reden des Schwiegersohns«[60], beschwerte er sich, ließen andere Gesprächspartner verstummen. Sobald der Italiener das Zimmer verließ, sei himmlische Ruhe eingetreten. War Borgese schlechter Laune, wurde er für seine Umgebung nur noch anstrengender, und etwa wegen einer »Miß-Placierung« bei einem Festdinner konnte der dröhnende Wissenschaftler »unglaublichen Zorn« entwickeln. »Arme Medi«[61], kommentierte Thomas Mann im Tagebuch. Mal empfand er »Antonio übermächtig wie immer«[62] und an Weihnachten 1949 konstatierte er, der »Vulkanismus Borgeses« errege Erstaunen: »Er beklagte sich bei K. über Medi's Ehrgeiz, insolence u. Bestreben, ihn auszustechen. Warnung an sie.«[63] Denn selbst die »Sanftmut Medi's«[64] reize Borgese. Der »schwierige Gatte« wolle Elisabeth jede Berufstätigkeit nehmen.[65] Wenn Thomas so formulierte, führte dann etwa verletzte Eitelkeit, Kränkung vom extrovertierten Schwiegersohn die Feder? Das Bild Borgeses, das er da zeichnet, mag wenig milde sein, doch gibt es einen ungefähren Eindruck von dessen Cholerik.

Zur Verbitterung Borgeses trug allerdings auch die politische Entwicklung in Amerika bei. Nach dem Zweiten Weltkrieg und dem Ende der Ära Roosevelt war zwischen den einstigen Alliierten USA und Sowjetunion der Kalte Krieg ausgebrochen. Blindes Wettrüsten eskalierte. Eine Welle des Antikommunismus brach über die Vereinigten Staaten herein. Am Horizont waren die Vorzeichen eines Geistes zu erkennen, der in den Augen vieler Exilanten jenem in Deutschland vor 1933 zu ähneln schien und der in Amerika bald mit dem Namen des eifrigsten Kommunistenjägers gleichgesetzt wurde: Senator Joseph McCarthy. Das »Committee on Unamerican Activities« förderte die »Hexenjagd«, ließ Emigranten wie Bertolt Brecht oder Lion Feuchtwanger bespitzeln und zu Verhören laden; ihnen drohte Paßentzug und Ausweisung. Auch über Thomas, Erika und Klaus Mann führte das FBI eine Akte.[66] Schon sein Faible für Dostojewski und andere russische Autoren, so Elisabeth, machte den Vater verdächtig.

Als »eine ekelhafte Zeit« erinnert sie jene Jahre, bedrückend und deprimierend. Politik hatte im Leben der Familie immer eine Rolle gespielt. So mußte das veränderte Klima den Alltag überschatten und persönliche Spannungen befördern. »Die Leute haben sich gegenseitig denunziert«, erzählt Elisabeth. »Ich war mit dem Gedanken aufgewachsen, nur die Deutschen könnten sich so schlecht benehmen. Und nun taten es die Durchschnittsamerikaner. Da erkannte ich: So ist die Welt eben.« Wer für den Frieden arbeitete, galt als Kommunist. »Frieden war ein ›*dirty word*‹.« Das Weltregierungs-Komitee sah sich plötzlich mit dem Vorwurf anti-amerikanischer Tendenzen konfrontiert. Wie viele Wissenschaftler und Publizisten wurde auch Borgese in seiner Arbeit behindert. »An der Universität hielt Hutchins wohl seine schützende Hand über seine Professoren«, so Elisabeth, »aber seine Radiovorträge durfte Borgese nicht mehr halten. Das hat ihn sehr verbittert. Er hatte an die amerikanische Demokratie geglaubt, sie verherrlicht, und den Verlust dieses Glaubens empfand er nun als tiefen Schmerz.«

Auch für die Familie Mann begann eine dunkle Zeit, die Elisabeth ebenfalls belastete. Die Enttäuschung über Hetzkampagnen und berufliche Niederlagen riß vor allem bei Erika und Klaus Wunden, und man sieht es in ihren früh gealterten, von scharfen Linien durchzogenen Gesichtern. Die Hoffnungen, die sie nach zwölfjährigem Kampf gegen den Faschismus in die deutsche Zukunft, die Zukunft der Weltgemeinschaft und nicht zuletzt in ihre eigene gesetzt hatten, fielen nun in sich zusammen. Das Hitler-Regime war besiegt, der Tyrann tot, die Welt danach nicht besser. Als »lecturer« hatte Erika vor amerikanischem Publikum flammende Reden über politische Moral und Zivilcourage gehalten, während des Kriegs als akkreditierte Korrespondentin der US-Army in Uniform London, Kairo, Marokko bereist und Reportagen für amerikanische Publikationen geschrieben sowie 1945 im unterlegenen Deutschland die ersten Wochen der Nürnberger Prozesse verfolgt.[67] Nun gab man ihr zu verstehen, sie nicht mehr zu brauchen, ja sogar, sie als politisch fragwürdig, weil liberal zu betrachten. Wie ihren Bruder Klaus verdächtigte man sie der Nähe zu kommunistischen Organisationen. Bitter enttäuscht zog sie schließlich ihren Einbürgerungsantrag, der aufgrund ihrer umfangreichen FBI-Akte jahrelang auf Eis gelegen hatte, öffentlich zurück.[68]

Auch Klaus' Leben interessierte die FBI-Agenten. Er, der bei der US-Army Dienst geleistet hatte, galt nun als Kommunistenfreund und als sexuell pervers. Seine zunehmende Hoffnungslosigkeit und tiefen Depressionen hatten nicht nur damit zu tun. Er fühlte sich müde, von keiner Aufgabe mehr erfüllt, literarisch ausgebrannt. Golo beschrieb ihn als heimatlosen Reisenden, in jenen Jahren ohne den früheren Zusammenhalt mit seiner Schwester Erika, die dem Vater nun als Editorin, Beraterin, Unterhalterin assistierte.[69] Erika, die bisher Klaus' Todessehnsucht bannen konnte, hatte die

Thomas Manns fünfundsiebzigster Geburtstag, 1950: Gret, Thomas und Katia Mann, Erika, Elisabeth und Michael (von links nach rechts)

Kraft eingebüßt, ihren Bruder mitzutragen. Noch immer mag Klaus unter dem Schöpfergenie des Vaters gelitten haben. Zudem war er seit langem von Drogen abhängig.

Im Juli 1948 unternahm Klaus in der kleinen Wohnung, die er sich in der Nähe des Elternhauses in Pacific Palisade gemietet hatte, einen Selbstmordversuch. Er hatte sich die Pulsadern aufgeschnitten und außerdem den Gashahn aufgedreht.[70] Elisabeth war mit ihren beiden Töchtern gerade zu Besuch bei ihren Eltern, als die Nachricht kam. »Meine Mutter ist sofort in die Klinik gefahren«, erinnert sie sich, »und wir anderen blieben nicht lange zusammen.« Elisabeth besuchte Klaus anderntags im Krankenhaus, sprach mit ihm aber nicht über das Geschehene. Die Geschwister verstanden sich gut, ja sie hatten ein herzliches Verhältnis, doch trotzdem mochte sich Klaus der kleinen Schwester nicht anvertrauen, und sie ihrerseits war zu taktvoll, ihn dazu aufzufordern. Auch fühlte sich Elisabeth ebenso hilflos wie die ganze Familie, die Klaus' Labilität wenig entgegenzusetzen wußte. Die vitalen, lebensstarken Angehörigen reagierten geradezu überreizt und verständnislos. Katias Reaktion erinnert Elisabeth so: »Sie war nun wirklich die warmherzigste und liebevollste Person, die man sich vorstellen kann. Aber sie hatte auch einen durchdringend kalten Verstand. Und als sie das hörte, mit Pulsadern und Gasherd, rief sie fast zornig: ›Wie kann man es so schlecht machen, wenn man sich schon umbringen will.‹« Ähnlich aufgebracht klingt Elisabeth in einem Brief an ihren Mann: »Ich muß zugeben, ich verspüre nicht weniger Ekel als Mitleid«[71], und sie hofft, »daß der Schock dieser Erfahrung einen reinigenden Effekt habe, so daß er es so bald nicht mehr versucht.«[72]

Klaus wohnte danach im Haus des Familienfreunds Bruno Walter, nicht etwa im Elternhaus, und Elisabeth glaubt, er habe sich geschämt. Der Psychiater, zu dem er sich anschließend in Behandlung begab, wußte nur zu prophezeien, Klaus werde es solange versuchen, bis es ihm gelinge. Bereits ein Jahr später, im Mai 1949, schluckte er in Cannes die tödliche Dosis eines barbituratähnlichen Mittels. Er hinterließ keinen Abschiedsbrief. Thomas, Katia und Erika Mann befanden sich auf einer »Ehrenreise« für den Schriftsteller in Schweden, als die Botschaft sie erreichte; Elisabeth erfuhr es in Chicago per Telegramm. Bei der Beerdigung in Cannes war nur Michael zugegen. Er spielte auf seiner Bratsche ein »Largo« für den toten Bruder.[73]

Hatte das Elternhaus, wie manche meinen, Klaus zu wenig Rückhalt geboten?[74] Trug vor allem der Vater eine Mitverantwortung, dessen »allgemeine Interesselosigkeit an Menschen« und »Eiseskälte« Klaus im Tagebuch bitterlich beklagt hatte?[75] Bestätigt dies nicht Thomas Mann selbst, der den Tod seines ältesten Sohnes eher distanziert zu kommentieren scheint, wenn er am 22. Mai 1949, dem Tag der Todesnachricht, zunächst Wetterbericht (»sommerlich warm«) und Beschreibung der Ehrenbekundungen für ihn selbst im Tagebuch einträgt und dann fortfährt: »Bei der Ankunft im Hotel schwerster Chock ... Langes Beisammensein in bitterem Leid. Mein Mitleid mit dem Mutterherzen und mit E. (Erika). Er hätte es ihnen nicht antun dürfen ... Das Kränkende, Unschöne, Grausame, Rücksichts- und Verantwortungslose.« Das klingt nicht gerade nach einem trauernden Vater, und man könnte versucht sein, die Worte auf ihren Verfasser anzuwenden. Doch die »falsche Interpretation« dieses Zitats macht Elisabeth wütend. »Der Tod von Klaus ist meinem Vater wahnsinnig nahe gegangen. Und er wollte ihm bestimmt keinen Vorwurf machen. Oft genug hat er über das ›zweifelhafte Geschenk‹, das er Klaus gemacht habe, geschrieben und gesprochen, das Leben nämlich. Denn er empfand sich als Belastung, er wußte, daß er ein problematischer Mensch war. Seine beiden Schwestern hatten sich umgebracht, Tante Lula war ebenfalls drogensüchtig, die Familie hatte viele unglückliche Anlagen.« Daß Thomas Mann nur vom Unglück seiner Frau und seiner Tochter schreibt, kann Elisabeth auch nicht verurteilen. »Seine geliebte Frau und seine geliebte Tochter taten ihm besonders leid. Von seinem eigenen Leid spricht er eben nicht, das heißt aber nicht, daß er nicht darunter gelitten hätte.«

Die unselige Kombination aus Talent und Schwermut, Begabung und Belastung sieht Elisabeth als einen der Schlüssel für die Familiengeschichte. »Das geht eben zusammen. Das weiß man doch.« Daß der Vater seinem ebenfalls schreibenden Sohn die Anerkennung verwehrt habe, bestreitet sie, allerdings wollten »beide Eltern wohl nie, daß wir Literaten oder Künstler würden. Für Klaus war es sicher nicht günstig. Aber mein Vater hatte alles von ihm gelesen, schrieb ihm ermutigende Briefe, schätzte ihn auch.« Natürlich habe man sich in der Familie Vorwürfe gemacht, allerdings auch gespürt, so Elisabeth, daß man Klaus nicht hätte halten können: »Die Drogen haben ihm ungeheuer zugesetzt, die qualvollen Entziehungskuren. In der Liebe, mit seinem heißgeliebten Tomski, war es nicht, wie es hätte sein können. Sein Erwachsenenleben war wohl kein glückliches.«

So sah es auch Golo, der sicherlich einen wacheren Blick für die (selbsterlittene) Distanz zwischen Vater und Bruder hatte als die Schwester. Er suchte und fand viele Erklärungen für den Selbstmord von Klaus, um zuletzt doch zu erkennen, daß auch andere Menschen ähnliches Leid erlebten – mit einem entscheidenden Unterschied: »Meines Bruders Seele war krank.«[76] Klaus, der nicht an seine frühen schriftstellerischen Erfolge anzuknüpfen vermochte, erlebte nicht mehr die späte »Entdeckung« seiner Bücher, die Veröffentlichung der Tagebücher, die Verfilmungen. Oft hat Elisabeth gedacht: »Wenn er das noch erlebt hätte.«

Für Erika, die zwillingsgleiche Schwester, war der Verlust des Bruders kaum zu verwinden. »Waren wir doch Teile voneinander, – so sehr, daß ich ohne ihn im Grunde gar nicht zu denken bin«[77], schrieb sie Eva Herrmann. Ihre wachsende Verbitterung und Reizbarkeit bekümmerte Eltern und Geschwister; selbst mit der friedliebenden Elisabeth zettelte sie Streit an, zog über die scheinbar sinnlose Tätigkeit für eine Traumtänzer-Veranstaltung wie die Weltföderalisten und deren »Präsidentin« mit Hohn und Spott her, forderte ihre Familie zu bösen Auseinandersetzungen geradezu heraus. »Zuviel Charakter macht ungerecht«, seufzte Thomas Mann.[78]

Das Zusammentreffen zweier schwerer Schicksalsschläge habe Erika zerbrochen, glaubt Elisabeth: der Tod von Klaus und die unglückliche Liebe zu Bruno Walter. Schon als junges Mädchen hatte Erika für den Dirigenten und Freund der Familie geschwärmt, Anfang der vierziger Jahre entwickelte sich die Freundschaft zu einer geheimgehaltenen Liaison, und erstmals wollte Erika, inzwischen Mitte Dreißig, sich binden. Bruno Walter, dreißig Jahre älter, attraktiv, umschwärmt und verheiratet, wollte es nicht. Elisabeth erinnert sich an die Briefe, die Erika anonym an Walters Frau schikken wollte und die sie der Schwester vorlas, an Erikas vergebliche Hoffnung, Walter werde sie heiraten. Statt dessen löste er die Bindung nach einigen Jahren. Erikas Eifersucht auf Elisabeths Familie trübte das Verhältnis der beiden Schwestern in den Jahren nach Klaus' Tod; Erika hatte das Kind, das sie einst vom langjährigen Gefährten Martin Gumpert erwartete, nicht zur Welt bringen wollen, und neidete nun, meint Elisabeth, der jüngsten Schwester ihre Familie, ihre Ehe, ihren Beruf. Elisabeth: »Sie wurde böse und schwierig.«

Abgesehen von diesen Kümmernissen stand es auch um Elisabeths Ehe nicht zum besten. Die drückende Atmosphäre zu Hause nahm ihr buchstäblich die Luft zum Atmen, erstmals seit der Pubertät suchte sie das alte Asthma-Leiden wieder heim. Ihre Freunde verstanden längst nicht mehr, wie sie es noch an der Seite des schwierigen Borgese aushielt.

Im November 1950 verzeichnet Thomas Mann im Tagebuch »große telephonische Aufregung. Borgese teilt mit, daß Medi ›has a lover‹ and ›she told him so‹. Der Argentinier, den sie zum Generalsekretär ihrer W.Gov.-Organisation (World Government Organisation) gemacht hat.« Borgese erbat dringend die Vermittlung seiner Schwiegermutter, stellte aber Forderungen: »Will alles vergeben, aber nach Italien um dort ›ein neues Leben anzufangen‹. Großes Problem. Scheidung der Kinder wegen fast unmöglich. B.'s (Borgeses) Lage, bei all seiner Unmöglichkeit, wirklich beklagenswert.«[79]

Den Argentinier, einen Mann namens Pierre Hovelaque, hatte

Elisabeth 1949 in Paris kennengelernt. Er war jung, nur wenig älter als sie selbst, und als unkomplizierter, reizender Gefährte in allem das Gegenteil von Borgese, ideal also für eine flüchtige Beziehung. Die beiden hatten sich nur wenige Male gesehen, wenn Tagungen oder Kongresse der Organisation sie zusammenführten. Der Blitzschlag der Liebe hatte Elisabeth nicht wirklich getroffen, doch »es war zu Hause so erstickend, und ich brauchte etwas Leichtigkeit. Aber was ich wohl eigentlich wollte, war keine Affäre, sondern einen *casus belli*: Ich wollte Borgese verlassen.« Im Rückblick hält sie ihr Verhalten für »sehr unreif«, vor allem, daß sie ihrem Mann den Schmerz antat, ihm diese Geschichte zu beichten: »Wir saßen in der Küche beim Wein, und ich wollte ihn nicht anlügen. Also erzählte ich. Aber ich hätte es natürlich nicht tun sollen.«

Katia setzte sich sofort in den Zug und fuhr nach Chicago. Nach einer knappen Woche war sie wieder zu Hause in Pacific Palisades und konnte Thomas Mann einstweilige Entwarnung geben. Elisabeths Leidenschaft für »ihren Argentinier« sei nicht tief gegangen und sie werde zunächst bei ihrem Mann bleiben, obwohl die Schwierigkeiten zwischen beiden weiter bestünden. Thomas Mann ließ sich neugierig alle Einzelheiten erzählen, um im Tagebuch anteilnehmend, aber auch nicht die humoristischen Aspekte dieser Angelegenheit verkennend, über die »sehr schwierige, ja aussichtslose, teils tragikomische, teils herzliches Mitleid erregende und sorgenvolle Lage in Chicago« zu reflektieren: »Erwäge einen Brief an den armen, tollen, unseligen Borgese.«[80]

Gelassenheit und Nachsicht lagen dem »tollen Borgese« nicht. Ohnehin verbittert, beruflich enttäuscht, brach mit dem Fehltritt seiner Frau die letzte Säule seiner Welt zusammen. Weit mehr als ein Jahr rangen beide, zunächst wegen der Kinder, um ein friedliches Arrangement. Vergebung fiel Borgese schwer, zu unehrenhaften Ausbrüchen ließ er sich allerdings nicht hinreißen. Seine Vorwürfe vermochte der Literaturwissenschaftler subtiler, eleganter

Die Töchter Angelica (links) und Dominica Borgese, 1951

anzubringen und trug seiner Frau bedeutungsvoll Tolstois »Kreutzersonate« vor, eine Abhandlung über Schuld und Sühne. Zwar drohte er Elisabeth, mit den beiden Töchterchen nach Italien zu gehen, fürchtete aber gleichzeitig nichts mehr als die Trennung von Frau und Kindern. Eine Aussöhnung sei jedenfalls nur denkbar, so machte er ihr deutlich, wenn sie als Bekenntnis zu ihm ihr Amt bei den Weltföderalisten niederlege.

Dazu erklärte sich Elisabeth bereit, zumal sie erkannt hatte, daß die Vereinigung in der McCarthy-Ära mit Atom-Rüstung und Koreakrieg einsam, nur noch unterstützt von wenigen Idealisten, vor sich hin dümpeln würde und daher »sowieso nicht mehr der Mühe wert war«. Auch dem jungen Argentinier hatte sie längst den Laufpaß gegeben, freundlich und undramatisch. »Es hat ihm nicht das Herz gebrochen.« Sie war guten Willens, verstand Borgeses Schmerz und bedauerte die Geschichte, vermochte aber nicht mehr, ihre Bedürfnisse völlig hintanzustellen. Den Präsidentenposten aufzugeben mochte noch angehen – doch ganz und gar auf eine Berufstätigkeit verzichten, wie der gekränkte Gatte es wünschte? Dazu war sie in den vergangenen Jahren an seiner Seite zu sehr gereift und auch zu ehrgeizig geworden. Sie dachte an Scheidung und hatte sogar schon einen Anwalt eingeschaltet.

Doch es kam anders. Am Ende gab Elisabeth nach. Mangelte es ihr an Kraft, an Mut? Wohl kaum, zumal alle Freunde ihr »dringend zuredeten, ihn zu verlassen. Auch meine Mutter hätte es gut verstanden, selbst wenn sie natürlich für Versöhnung war.« Elisabeth blieb nicht nur der Kinder wegen. Sie blieb, weil die »Loyalität ihres Herzens«, die Borgese früh erkannt hatte, sie dazu verpflichtete. »Ich habe es nicht fertiggebracht, ihn zu verlassen. Er tat mir zu leid, ich schätzte ihn zu sehr und habe ihn wohl auch zu sehr geliebt.« Mitte 1952 sagte Elisabeth dem Anwalt ab.

Unterdessen hatte sich ein unverhoffter Ausweg aus der Trostlosigkeit Chicagos aufgetan. Borgese erhielt einen Ruf an die Universität von Mailand. Vor zwanzig Jahren hatte ihn das Land unter den Faschisten vertrieben. Nun rief man ihn wieder, gab ihm seine Professur und seine Pension zurück. Borgese war glücklich, der frische Wind des Neubeginns blies die elegische Düsterkeit, die ihn zuletzt umgeben hatte, fort. Elisabeth war nicht erpicht darauf, die vertraute Umgebung zu verlassen, zumal der Kinder wegen, erkannte aber, welche Kraft ihr Mann daraus schöpfte, die unglückliche Zeit auch räumlich hinter sich zu lassen und seine alte Heimat wiederzusehen, und welche Chance ihrem Zusammenleben daraus erwachsen würde: »Für ihn war das sehr wichtig. Er konnte wieder lehren, und er durfte seinen Honeymoon mit Italien noch erleben.«

Auch Elisabeths Eltern hatten inzwischen beschlossen, Amerika, dessen Atmosphäre sie als »bedrückend und besorgniserregend« empfanden, den Rücken zuzuwenden. Auch Erika, die nach dem Tode von Klaus ihren inneren Frieden nicht mehr wiederfand, sollte wohl besser das Land verlassen. Hinzu kam, daß es Thomas Mann nach der »alten Erde«[81] verlangte: Er wollte heim.

Im Sommer 1952 kehrten die Manns nach Europa zurück. Die Borgeses verließen Amerika im darauffolgenden Herbst. Sie gingen nach Florenz.

IV »Der Aufstieg der Frau«

Abschiednehmen war Elisabeth selten schwergefallen. Vor knapp zwanzig Jahren, 1933, hatte sie München, das Haus in der Poschingerstraße und ihre Schulfreundinnen verlassen, ohne ihnen lange nachzutrauern, ebenso fünf Jahre später die Schweiz, die sie als echtes Zuhause empfunden hatte. Wie ihre Mutter hatte sie nichts Sentimentales, verfügte über einen gesunden Pragmatismus. So fiel es ihr schon damals leichter als anderen aus der Familie, zu neuen Ufern aufzubrechen. Nur einmal, bei Landshoff, hatte sie verbissen festgehalten – und daraus fürs Leben gelernt: »Ich streife Dinge ab. Was vorbei ist, ist vorbei.«

Nun aber wollte sie Chicago nicht verlassen, auch wenn die ungenierte Drangsalierung durch die McCarthy-Bewegung ihr ebenso unerträglich war wie ihrem Mann; zudem waren die letzten Jahre in Amerika für sie nicht glücklich gewesen. Die Mädchen jammerten, wollten weder ihre Spielkameraden noch die Kätzchen aufgeben. Elisabeth fühlte sich erschöpft und mutlos. Doch auf Vermittlung von Bekannten hatte sich eine Villa in Fiesole bei Florenz gefunden, die der Eigentümer, ein Musiker, für sechs Monate vermieten wollte. Von dort würde Borgese ohne allzu großen Aufwand seinen Vortragsverpflichtungen an der Mailänder Universität nachgehen können. Elisabeths Freunde schüttelten verständnislos den Kopf, wenn diese über den bevorstehenden Umzug klagte; alle fanden die Aussicht auf ein Leben in Florenz verlockend, und auch Elisabeth raffte sich schließlich auf – ihrem Mann zuliebe.

Giuseppe Antonio Borgese blühte mit der Rückkehr nach Italien auf. Die Verbitterung über sein »zweites Exil«, zu dem ihn und seine Frau nach faschistischer Tyrannei die politische Intoleranz des Kalten Kriegs gezwungen hatte, wich heimatverbundenem Überschwang. Der Beziehung des Ehepaares und seiner Aussöhnung kam dies sehr zugute.

Ein neues Leben

Florenz gefiel den Borgeses bei ihrer Ankunft im Oktober 1952 auf Anhieb so gut, daß sie sich gleich auf die Suche nach einer festen Bleibe machten. Tatsächlich fanden sie etwas in San Domenico, an der Via Vecchia Fiesolana, der Straße nach Fiesole. Es war ein einfaches, altes Haus, das im Krieg zerstört worden war und das von dem Hügel, auf dem es stand, eine von Zypressen und Hängen eingerahmte Aussicht über die Florentiner Altstadt bot, den Dom, den Palazzo Vecchio. Die Idylle wirkte auf Elisabeth wie ein eingelöstes Versprechen von heiterer Leichtigkeit. Auch hatten sich ihre Eltern nicht weit entfernt niedergelassen, denn verglichen mit amerikanischen Entfernungen entsprach die Distanz zwischen Florenz und Zürich, wo Thomas und Katia Mann bleiben wollten, nur einem Katzensprung.

Im Verhältnis zu Borgese hatte sich in vielem wieder die bewährte Rollenverteilung eingespielt; er, ein zurückgekehrter Held des Antifaschismus, unterrichtete an der Universität, Elisabeth konzentrierte sich auf Mann und Kinder. Die schwächelnde weltföderalistische Bewegung lohnte keine weitere Mühe, andere berufliche Aufgaben, wie das Angebot, die deutsche Ausgabe der amerikanischen Kultur-Zeitschrift »Perspectives« zu leiten, lehnte sie vorsorglich ab, obwohl diese Aufgabe, wie ihr Vater zu bedenken gab, sie finanziell unabhängig gemacht hätte.[1] Elisabeth war guten Willens, ihre Ehe wieder ins Lot zu bringen, ohne sich allerdings als Büßerin zu betrachten, und auch Borgese, der sich wohl der eigenen Fehler, die den Ausbruch seiner Frau geradezu begünstigt hatten, bewußt war, versuchte, sein nachtragendes Wesen in Schach zu halten. »Wir haben uns«, sagt Elisabeth heute, »wieder ganz ausgesöhnt. Wir waren völlig im Frieden miteinander.« Alles sah nach einem glücklichen Neuanfang aus.

Doch Antonio Giuseppe war im November 1952 siebzig Jahre alt geworden. Elisabeth verfolgte besorgt den physischen und geistigen Verfall ihres Manns, beobachtete, wie er an seinem Schreibtisch etwas schrieb, »in seiner schönen italienischen Handschrift. Und dann hielt er plötzlich in der Mitte des Wortes inne, in der Hand die Feder, schlief ein, und wenn er kurz darauf wieder zu sich kam, schrieb er das Wort zu Ende.« Sie drängte, er möge sich untersuchen lassen. Den Arzt nahm sie beiseite, um ihm ihre Befürchtung anzuvertrauen, daß bei ihrem Mann »etwas im Gehirn nicht stimme«. Borgese hingegen kämpfte mit dem Rest seiner Vitalität so erfolgreich darum, stark und unverwundbar zu wirken, »daß der Arzt«, so Elisabeth, »mich ansah, als sei ich verrückt«.

Doch Elisabeths Instinkt trog sie nicht. Anfang Dezember 1952 fuhr die Familie gemeinsam nach Mailand, wo der Literaturprofessor seine Vorträge halten sollte, während seine Frau mit »Gogoi«, der kleinen Angelica, und »Nica«, der jüngeren Domenica, weiter nach Zürich zu ihren Eltern reiste. In der Schweiz besichtigte Elisabeth das Haus in Erlenbach bei Zürch, das Thomas Mann mieten wollte, auf dem Rückweg nach Florenz wollte sie sich mit Borgese am Mailänder Bahnhof treffen. Sie fanden sich nicht gleich, und als

Elisabeth mit den Töchtern und ihrer Mutter auf dem Weg zur Beerdigung ihres Mannes, 1952

sie ihn endlich sah, wirkte er »entsetzlich krank«. Abends erreichten sie mit dem Zug Florenz. Am nächsten Morgen wachte er nicht auf, als Elisabeth aufstand; auch später nicht, als vormittags die Haushaltshilfe aufräumen wollte. Der eilends gerufene Arzt stellte ein Koma fest, aus dem Borgese nur noch einmal, abends um sechs Uhr, für einen Moment erwachte. Elisabeth: »Gesprochen haben wir nicht mehr. Ich hielt seine Hand und er drückte sie.« Noch am Abend des 4. Dezember 1952 starb Giuseppe Antonio Borgese an einer pötzlichen Gehirnthrombose. Nach dreizehn Jahren Ehe, erst vierunddreißig, war Elisabeth Witwe geworden. Ihre Töchter waren zwölf und acht Jahre alt.

Der Verlust hatte die junge Frau allerdings nicht völlig unvorbereitet getroffen, und so »aufgelöst« Thomas Mann seine Tochter nach der Unglücksnachricht am Telefon erlebte[2], so schnell faßte sie sich, unterstützt auch von Katia, die nach Florenz kam, um ihrer Tochter beiseite zu stehen. Thomas Mann sah sich bei allem Mitgefühl für die »arme verlassene Medi« außerstande, sich zur Beerdigung in Italien einzufinden, er »konnte die Reise bei dieser Kälte nicht wagen«.[3] Elisabeth nahm es ihm nicht übel. Auf einem Foto, aufgenommen auf dem Weg zur Beerdigung, wirkt sie verschlossen, aber keineswegs verloren; sie hält, in einen schwarzen Pelzmantel gehüllt und ein dunkles Kopftuch auf dem Haar, rechts und links die verstört blickenden Töchter fest an der Hand, während ihr die nachfolgenden Trauergäste mit den Blicken folgen. Es tröstete Elisabeth, daß Borgese die versöhnliche Rückkehr in seine Heimat beschieden gewesen war. Und sie begrub mit seinem Tod, der von würdigenden Artikeln in den italienischen Zeitungen begleitet wurde, im winterlichen Florenz sämtliche unguten Erinnerungen an das schwierige tägliche Miteinander mit dem aufbrausenden Mann. Geblieben ist ihr die Hochachtung vor der Persönlichkeit, die neben ihrem Vater ihr Leben maßgeblich bestimmt hat. Jetzt errichtete sie ihm ein geistiges Denkmal, wie Katia zu Hause ihrem Mann zu berichten wußte. »Begeisterte Anhänglichkeit nun Medi's sowohl wie der Kinder an den Entschlafenen, der im Tode von allen Seiten hochgefeiert wurde«[4], notierte der Vater – im erstaunten »nun« spiegeln sich seine hochgezogenen Augenbrauen. Und doch, »Medi« hatte ihren Mann geliebt, als genialen Denker bewundert. Respekt und Loyalität schwingen bis heute in ihren Erzählungen über Borgese mit, in die sich allerdings, fast ein halbes Jahrhundert nach seinem Tod, Amüsement mischt. Wahrscheinlich, meint sie, hätten sie nicht soviel gestritten, wäre sie selbst ein wenig reifer und gelassener gewesen – und sie meint wohl reifer als ihr immerhin sechsunddreißig Jahre älterer Mann.

Tatsächlich begann nun für Elisabeth in Italien ein neues Leben, anders allerdings, als sie es sich bei der Abreise aus Chicago ausgemalt hatte. Aber Florenz nun wieder zu verlassen kam ihr nicht in den Sinn; sie liebte das Land und seine Sprache, die sie gut beherrschte, ihre Töchter waren Halbitalienerinnen und begannen gerade, bisher nur die Familiensprache Englisch gewöhnt, Italienisch zu lernen. Vielleicht betrachtete sie es auch als Reminiszenz. So setzte sie ihre Unterschrift unter den Kaufvertrag für das Haus in San Domenico, das sie noch gemeinsam mit Borgese ausgesucht hatte. Sie neigte nicht zu Hilflosigkeit oder sentimentaler Selbstreflexion; für beides fehlte ihr auch die Zeit. Obwohl über Nacht eine alleinstehende Frau mit zwei kleinen Kindern, »habe ich nicht lange darüber nachgedacht«, sagt sie heute, »ich empfand mich gar nicht als sehr selbständig« – sie wurde es. Wieder einmal »streifte« sie »ab«, was hinter ihr lag. Zunächst mußte in Chicago einiges erledigt, dann in Italien eine Verdienstmöglichkeit gesucht werden. Die Eltern um materielle Unterstützung bitten oder des Vaters Verbindungen für eigene Projekte nutzen wollte sie nicht.

So erteilte sie zunächst an der Universität Florenz Studenten der Politikwissenschaft Deutschunterricht[5], was allerdings nur ein trockenes Zubrot ausmachte und weder für die Finanzierung des neuen Hauses noch für die Schule der beiden Mädchen ausreichte. Doch der Weggefährte aus Chicago, Robert Hutchins, half weiter. Er hatte schon vor dem Tod des Literaturprofessors den Kontakt zur Zeitschrift »Perspectives« hergestellt; in Anbetracht ihrer ungesicherten Zukunft nahm Elisabeth das Angebot, die Redaktion zu leiten, nun doch an. Das von der Ford-Foundation gesponserte Kulturmagazin mit Essays über Literatur, Musik und Kunst erschien in vier Sprachen. Sie sollte die italienische Ausgabe betreuen. Gleichzeitig übernahm sie die Verantwortung für die englische Ausgabe von »Diogenes«, einem, wie es Elisabeth beschreibt, »eher philosophischen denn belletristischen« Kultur-Magazin der UNESCO. Vom Gehalt, das sie aus beiden Posten bezog, »konnte ich anständig leben«.

Eine erfahrene Blattmacherin war die frischgebackene Redakteurin allerdings nicht gerade, sie hatte jedoch keine Angst vor der neuen Aufgabe. »Ein bißchen Erfahrung hatte ich durch ›Common Cause‹, und die ›Perspektiven‹ wurden ja zentral herausgegeben, jede Nummer sah gleich aus. Ich mußte nur einen italienischen Mitarbeiter haben, der gut schreiben konnte. Mein Italienisch reichte aus, um zu kontrollieren, ob die Übersetzungen korrekt waren.« Einen geeigneten Kollegen suchte und fand sie bei der Zeitschrift »Il Ponte«: Corrado Tumiati, ursprünglich Psychiater und zwanzig Jahre lang in einer geschlossenen Anstalt tätig, hatte seine Erfahrungen aus jener Zeit in einem Buch veröffentlicht und dafür den angesehenen Premio Viareggio erhalten.

Sich in Italien heimisch zu fühlen fällt leicht, und auch Elisabeth und ihren Töchtern gefiel das Land. Erstmals lebte sie in einem Haus, das ihr selbst gehörte; der Grund mit Zypressen und wuchernden Geranien weckte ungekannt häusliche Instinkte. »Zum Gebäude«, erinnert sie sich, »gehörte ein terrassiertes Stück Land, gar nicht so klein, wo wir Obst und Gemüse anbauten. Wir hatten auch einen Swimmingpool, unseren eigenen Wein und eigenes Öl, und die Pfirsiche wuchsen einem in den Mund.« Dieses Haus bedeutete Elisabeth so viel, daß sie, als sie es nach vierzehn Jahren aufgab, nie wieder dorthin zurückwollte. Anderenfalls hätte sie das Heimweh überfallen.[6]

Ein im Haus lebendes Dienstmädchen gab es nun nicht mehr, wohl aber eine patente Haushaltshilfe sowie ein weiteres Mäd-

Mitte der fünfziger Jahre mit Freunden im Haus in Fiesole

chen, wenn Elisabeth, was oft vorkam, Besuch hatte. Alleinsein mochte sie nicht, und ihre Cocktailpartys und aufwendigen Essen waren beliebt. Elisabeth, unprätentiös, in Gesellschaft fröhlich, gebildet und dennoch umkompliziert in ihrer Annäherung an Politik, Kunst, Wissenschaft, fiel es leicht, Freunde und Bekannte zu finden. »Dazu gehörten«, erzählt Elisabeth, »die italienischen Antifaschisten von Florenz, die ich durch Borgese kannte, durchreisende alte Freunde aus Amerika, neue Bekannte von den Zeitschriften, Kunstkritiker, Literaten, Musiker. Man ging in italienische Bars, und die in Florenz lebenden Amerikaner verliehen der Gesellschaft etwas Bohemehaftes.«

Gogoi und Nica besuchten zunächst die amerikanische Schule, die von einer ehemaligen Gefängnislehrerin geleitet wurde. Die uralte Miß Berry hielt sich nach Elisabeths Einschätzung »nur durch Bosheit am Leben«, und haßte besonders Angelica, die kecke und nicht auf den Mund gefallene Ältere der beiden Borgese-Mädchen. Beim Abschied mußten die Kinder stets in Reih und Glied an der Lehrerin vorbeiziehen und sich mit einem Knicks und der Formel *»Good bye, Miss Berry«* verabschieden, was Angelica eines Tages zu einem *»Good bye, old hag«* (Auf Wiedersehen, alte Hexe) variierte. Dieser Gruß setzte ihrer Karriere in der amerikanischen Schule ein jähes Ende. Angelica besuchte dann – zur Aufnahmeprüfung hatte man sie mit der Aussicht auf ein eigenes Pferd gelockt – die italienische Schule, Dominica die Schweizerische. Hätte Borgese allerdings noch die Umstände des Schulwechsels erlebt, so Elisabeth, »hätte ihn das umgebracht«.

Die Manns in Europa

Thomas und Katia Mann hatten nun also schon zwei verwitwete Töchter. Doch anders als Monika, die ihren Eltern 1952 nach Europa gefolgt war und sich 1953 auf Capri niederließ[7], baute sich Elisabeth eine von der Familie auch finanziell unabhängige Existenz auf, was vielleicht die enge emotionale Verbundenheit mit den Eltern eher förderte. Von der jüngsten Tochter waren keine Flausen zu befürchten, mit einer Ausnahme, bei der Thomas Mann »entschiedenen Widerspruch« geltend machte: Elisabeth hatte begeistert aus Süditalien telegrafiert, sie werde eine Fremdenpension auf Capri besichtigen und wohl für zwei Jahre übernehmen.[8] Dieses Vorhaben zerschlug sich ebenso wie ihre überraschende Annäherung an den alten Freund Ignazio Silone. Der Schriftsteller, mittlerweile dreiundfünfzig Jahre alt, hatte sie einst als erster auf die

Schriften Giuseppe Antonio Borgeses aufmerksam gemacht, nun, ein knappes halbes Jahr nach dessen Tod, tauchten plötzlich Heiratsideen auf, immerhin so ernst, daß Thomas Mann davon erfuhr. Nicht ohne Befriedigung über die angemessene Partie notierte er im Tagebuch: »Dieser Welt-Präsident des Pen-Clubs. Gut.«[9] Gleichwohl, die Sache verlief sich.

Thomas und Katia bezogen 1954 in Kilchberg bei Zürich das letzte eigene Haus des Schriftstellers. Es lag an der Alten Landstraße 39, bot ebenfalls einen schönen Blick über den See, allerdings diesmal mit etwas weniger Wohnraum als die früheren Anwesen.[10] Soviel Platz wie einst, um alle Kinder beherbergen zu können, benötigten der knapp Achtzigjährige und seine einundsiebzigjährige Frau nicht mehr; Monika lebte wie Elisabeth in Italien, Golo als Dozent und Publizist mal in der Schweiz, mal in Amerika[11], Michael war als Musiker viel auf Tourneen oder bei seiner Frau Gret und den Söhnen. Unter dem Dach der Eltern wohnte nur Erika, inzwischen fast fünfzig Jahre alt.

Sorgen um die Kinder, wie so oft, gab es dennoch. Michael neigte zum Alkohol und in der Folge zu Gewalttätigkeit[12], Erika verwand die Verbitterung über den Zusammenbruch ihrer politischen Arbeit und, vor allem, den Tod von Klaus auch in Europa nicht. Statt den geplanten autobiographischen Lebensbericht »I of all the people« zu beenden, verfaßte sie wieder Kinderbücher[13]. Vorderhand flüchtete sie sich jedoch in die Organisation der Auftritte Thomas Manns; sie redigierte seine Texte und Reden, beriet und tröstete ihn, wenn ihn zunehmend Zweifel an der eigenen Produktivität quälten, aber letztlich überdeckten diese Aktivitäten lediglich den Mangel eines erfüllten eigenen Lebens. Schon jetzt entwickelte sie sich zum »bleichen Nachlaßschatten« des Werkes von Vater und Bruder, wie sie sich selbst zynisch nannte.[14] Ihre innere Unruhe, Schlaflosigkeit, Drogenprobleme bekam sie nicht den Griff[15], und ihre Stimmungen schwankten zwischen Depression und herrischer Aggression. Mit der Unerbittlichkeit einer Rachegöttin verteidigte sie ihre Prinzipien. Dem Autor Wilhelm Emanuel Süskind, in der Münchener Zeit einer ihrer und Klaus' engsten Freunde, der im Dritten Reich nicht emigriert, sondern als erfolgreicher Literaturredakteur in Deutschland geblieben war, antwortete sie auf seinen Brief zu ihrem fünfzigsten Geburtstag 1955 unversöhnlich: »Ich bin niemandes Richter; doch steht es fest in mir, daß unsere Wege sich auf Nimmerwiedersehen getrennt haben.«[16]

Um das Verhältnis zu ihren Geschwistern stand es schlecht. Mit ihrer brüsken Art kränkte sie Golo heftig[17], zu Elisabeth, die sich mit Golo schon immer besonders gut verstand und ihn oft nach Italien einlud, war sie auch nicht freundlicher. Besuchte die Jüngere die Eltern, brach Erika prompt zu einem Hochgebirgsausflug auf, um ihre Schwester nicht sehen zu müssen[18], fuhren Thomas und Katia zu Elisabeth nach Italien, ließ die ältere Schwester sie bei der Rückkehr ihre Eifersucht noch Tage spüren. »Traurig-wunderlich«, seufzte der Vater im Tagebuch[19], wo er mit einem Anflug von Verzweiflung Erikas »leidenschaftliche Negativität« beklagte, die auch Katia, die eigentlich nicht mit der herrschsüchtigen Tochter im Haus konkurrieren wollte, sehr zu spüren bekam.[20] »Seit dem Zweiten Weltkrieg«, sagt Elisabeth, »war Erika unglücklich. Bis dahin hatte sie Ziel und Erfolge und genoß sie. Sie hatte alles, was man braucht. Aber zuletzt hat es versagt.«

Die »gute Medi«[21] ihrerseits gab sich alle Mühe, die alternden Eltern aufzuheitern und ihrer Anhänglichkeit zu versichern. Mit der Mutter telefonierte und korrespondierte sie nahezu wöchentlich, mit dem Vater unterhielt sie sich über amerikanische Politik oder schickte eine Plattenaufnahme von »Othello«. Sie lud sie nach Florenz ein, besuchte mit ihnen die Uffizien und auf einen Vermouth die italienischen Bars, und sie arrangierte lebhafte Gesellschaften mit ihrem kosmopolitischen Freundeskreis. Katia, unkompliziert wie immer, amüsierte sich, und auch der verwöhnte

Vater fand sich mit der ihm leidlich provisorisch und unbequem scheinenden Unterkunft ab. Auf Wunsch der Tochter las er aus »Felix Krull«, dem Buch, das er nach »Der Erwählte«, einem der Lieblingsromane Elisabeths, geschrieben hatte, und freute sich über ihre Begeisterung. Mit den beiden Enkelinnen konnte er immer noch nicht viel anfangen, auch wenn er sie für »sehr begabt« hielt. »Gleichgültigkeit gegen die Kinder« gestand er, fand hingegen »Vergnügen an den Hunden und Katzen«.[22] Daß ihm ausgerechnet die Mädchen der Lieblingstochter nicht näher standen, »bei aller Zärtlichkeit für Medi«[23], scheint ihn selbst einigermaßen erstaunt zu haben, so oft erwähnt er es in den Tagebüchern. Es trübte sein Verhältnis zu Elisabeth aber nicht. Sie trug ihm nichts nach.

Die Rückkehr nach Europa markierte für Katia und Thomas durchaus den Beginn einer letzten Ära. Ein Gefühl von Melancholie hing über dem Schriftsteller, der bei allem selbstbewußten Stolz über sein Lebenswerk unter Schaffensmüdigkeit, der »Endzeit meines Lebens« litt und sich am Abend seines 79. Geburtstages fragte: »Wie raffe ich mich noch einmal zu künstlerischem Unternehmen auf?« Und, Shakespeare zitierend, fürchtete er: »Es droht das ›*And my ending is despair*‹.«[24]

Abschiedswehmut schwang auch bei einem Fest zu Katias siebzigstem Geburtstag mit, das die Familie im Juli 1953 zusammenbrachte. Schon bei der Vorbereitung der Ansprache an sie, mit der er nun fast fünfzig Jahre verheiratet war, hatte Thomas Mann weinen müssen.[25] Die Feier selbst im eleganten Saal des Zürcher Hotels Eden au Lac geriet »sehr rührend«, wie Elisabeth noch gut weiß. Am weißgedeckten Tisch saßen die Kinder und Enkel, als Thomas Mann sich in seinem Smoking erhob, um der grau gewordenen Frau mit den wachen und schnellen Augen an seiner Seite öffentlich seine Liebe zu erklären. Katia sei nie ausschließlich Gattin oder ausschließlich Mutter gewesen, nie habe eine Liebe die andere überwogen. Heller Geist und Ungeduld prägten ihr lebhaftes Temperament, weswegen er ihr nie genug danken könne für die Geduld, die ausgerechnet sie, die in Worten und Gedanken so Geschwinde, für die Langsamkeit seines Lebens aufgebracht habe. Auch in der Rede auf seine Frau gelingt es ihm nicht, darauf zu verzichten, über sich selber zu sprechen, über die vielen Ehren in seinem Leben, aber er weiß um Katias Dulden und Verzicht, wenn er bekennt: »Für sie haben sie mich gefreut, weil sie sie freuten, ... und dadurch mein Gewissen entlasteten.« Er weiß, was er ihr zu danken hat, ihr, die sein Leben erdete und dadurch sein Schaffen möglich machte, und »wenn dann die Schatten sich senken«, bittet er, »dann gebe der Himmel, daß sie bei mir sitzt, Hand in Hand mit mir, und mich tröstet, wie sie mich hundertmal getröstet und aufgerichtet hat.«[26]

Es war ein sehr schöner Moment, erinnert sich Elisabeth, bewegend, ein wenig traurig. »Meine Mutter war sehr gerührt, auch mein Vater, während er las. Geweint haben sie beide nicht, beide waren sie ungeheuer selbstbeherrscht, und ich kann mich nicht erinnern, überhaupt je einen von beiden weinen gesehen zu haben. Aber ihm spürte man die Bewegtheit doch deutlich an. Man merkte es an der Stimme.«

Einmal, zwei Jahre später, weinte Katia doch: beim Tod ihres Mannes. Nicht an seinem Totenbett, wo sie starr und gefaßt blieb, sondern beim Aufbruch zur Beerdigung, wie sich Golo entsinnt.[27] Thomas Mann starb am 12. August 1955 im Zürcher Krankenhaus, wo er wegen einer Thrombose behandelt wurde, an einem Kreislaufkollaps.[28] Zuvor hatte er in diesem letzten Jahr noch in Stuttgart in Anwesenheit des deutschen Bundespräsidenten Theodor Heuss die Festrede zu Schillers 150. Todestag gehalten, in Weimar ebenfalls an der ostdeutschen Schiller-Feier teilgenommen und damit eine einseitige politische Stellungnahme zugunsten des einen oder anderen deutschen Staates vermieden, die Ehrenbürgerschaft der Geburtsstadt Lübeck entgegengenommen, sich zum eigenen achtzigsten Geburtstag wie ein Dichterfürst feiern lassen[29] – Würden und Ehrungen zuhauf. Katia war, wie immer, an seiner Seite.

Es war wohl eine besondere Liebesgeschichte mit den beiden, die »so verschieden waren und sich so gut ergänzten«, wie Elisabeth sagt. Und behauptet Katia auch in ihren »Ungeschriebenen Memoiren«, sie habe in ihrem Leben »nie tun können, was ich hätte tun wollen«[30], so stimme das nicht, glaubt ihre Tochter. Katia habe, trotz der eigenen Begabung, »gewählt, ganz für ihre Familie zu leben. Sie hätte ja, wie ich, immer die Morgenstunden für sich reservieren können, aber sie wollte gar nichts anderes. Es war ihr Lebensinhalt, ganz das Leben ihres Mannes zu teilen«, dessen nervöse Labilität sie ertrug, weil sie an seine Größe glaubte.

Daß Thomas Mann in Scham bewußt war, was er seiner Frau oft zumutete, geht aus den Tagebüchern hervor, die zwanzig Jahre nach seinem Tod geöffnet wurden, und die Golo und die Mutter ganz lasen, Elisabeth »sehr weitgehend«. Der zärtliche Ton bleibt. Verlor Katia ihre goldene Uhr, ein Geschenk zu Elisabeths Geburt, schenkte er eine neue[31], er sorgte sich um Nerven und Gesundheit der »armen kleinen Katia, die ich liebe«[32], war in jungen Jahren bekümmert, kam es zu bösen Worten. Daß alles auf Katias Spannkraft aufgebaut sei[33], hieß es da, daß er später in verzweifelten Zeiten von Emigration oder Seelenkrisen bei ihr Zuflucht suchte, und sie ihm, wenn er nicht schlafen konnte, die Hand hielt, bis er getröstet dachte, »so möchte es sein in meiner Sterbestunde«[34]. Er war ihr dankbar, daß sie sein äußeres Leben in eine Form gebracht hatte und seine Empfindlichkeit zu nehmen wußte. Auch in erotischer Hinsicht dankte er ihr, »weil es sie in ihrer Liebe nicht im Geringsten beirrt oder verstimmt, wenn sie mir schließlich keine Lust einflößt und wenn das Liegen bei ihr mich nicht in den Stand setzt, ihr Lust, d. h. die letzte Geschlechtslust zu bereiten. Die Ruhe, Liebe und Gleichgültigkeit, mit der sie das aufnimmt, ist bewunderungswürdig.«[35]

Katia Manns siebzigster Geburtstag, 1953

Nun, es waren andere Zeiten. Zu allen Zeiten gleichbleibend überwiegt wohl Unbehagen, derart Privates vor fremder Leserschaft ausgebreitet zu sehen. Bis auf einige Kürzungen der Tagebücher, die, so Elisabeth, »unnötig explizit sind oder mißverständlich, auch Sexuelles«, liegt aber alles recht offen da: die Bekenntnisse über Paul Ehrenberg, den Münchener Jugendfreund, über den

Düsseldorfer Knaben Klaus Heuser, der es dem über Fünfzigjährigen angetan hatte, die Schwärmerei für den simplen Franz Westermeier, Kellner im Züricher Grand Hotel, der dem Fünfundsiebzigjährigen Schriftsteller den Kopf verdrehte. Und das Geständnis, durch solche Empfindungen sein Leben »stärker ins Kanonische eingeordnet« zu empfinden »als durch Ehe und Kinder«[36]. »Wir haben genug stehenlassen und nicht gestrichen«, sagt Elisabeth, »es sollte schon seinen Charakter haben.«

Ihre Mutter hätten jene »Stellen« nicht gekränkt, sagt Elisabeth, »sie wußte, was ihre Beziehung zu ihm war und was die Beziehung zwischen ihm und Männern, nämlich philosophisch und ästhetisch: Schon die Franzl-Westermeier-Episode im Tagebuch ist wie zum Veröffentlichen geschrieben, wie in einen Rahmen gefaßt. Nie hat sie ihm das übelgenommen, nie war sie eifersüchtig. Sie wußte, daß sie keinen Grund dazu hatte.« Nie sah Katia ihren Mann als homosexuell, glaubt Elisabeth, und daß viele Künstler zum Bisexuellen neigen, erschien ihr nicht weiter dramatisch. Vor allem, wenn es so theoretisch blieb.

Daß Thomas Mann ihr zu danken hatte, liegt auf der Hand, doch wofür nahm Katia soviel Verzicht und Verdrängen in einem langen gemeinsamen Leben, in dem sie das Heim, Vermögen, Kinder verlor, auf sich? Elisabeth: »Sie haben sich beide sehr geliebt.«

Monika, der er eine Ausgabe des »Faustus« mit den abschätzigen Worten übergab, »Für Mönchen, sie wird es schon verstehen«[37], widmete dem Vater nach seinem Tod weite Strecken ihres autobiographischen Lebensberichts »Vergangenes und Gegenwärtiges«, aus dem ihre Ambivalenz für den Ichbezogenen abzulesen ist: »Seine Abwesenheit ist stark. Aber seine Abwesenheit ist voller Gegenwart. Und war seine Gegenwart nicht auch voller Abwesenheit?«[38] Golo, oft als »Ungeliebter« bezeichnet, gestand noch 1988 in einem Brief, er habe den Tod des Vaters unvermeidlich wünschen müssen, »war aber während seines Sterbens und danach völlig gebrochen; es dauerte Monate, bis ich mich einigermaßen von diesem Verlust erholte. Solche Nester voller Widersprüche sind wir nun einmal.«[39] Besonders Erika, die, anders als Golo, Monika, auch Michael und Klaus, nie um die Anerkennung des Vaters hatte ringen müssen, erlebte sein Fehlen als unerträgliche Leere. Sein Werk auf ein Denkmal zu heben wurde ihre letzte Lebensaufgabe, und in ihrem Bericht »Das letzte Jahr« – ihres Vaters nämlich – entwirft sie ein verklärtes Bild seines von Humor, Güte und Bescheidenheit geprägten Wesens.[40] Derart missionarisch verklärte Elisabeth ihren Vater nicht, hatte ihm aber andererseits auch nichts vorzuwerfen. Sie trauerte. Doch für sie ging das Leben, das sie sich außerhalb seines Schattens aufgebaut hatte, weiter.

Das Familienerbe: Schreiben

»In dieser Familie«, bemerkte Katia Mann spöttisch im Vorwort zu ihren Erinnerungen, »muß es einen Menschen geben, der nicht schreibt.«[41] Da war sie selbst schon eine betagte Dame und hatte länger als andere in der Familie die Finger davon gelassen.

Elisabeth widerstand nicht so lange. Die Politik, auf die sie in den vergangenen dreizehn Jahren ihre Energie verwandt hatte, interessierte sie noch immer, aber ihr aktives Engagement hatte sie aufgegeben. Noch setzte sie sich zwar dafür ein, daß Thomas Mann in der »New York Times« gegen McCarthy Stellung nehmen solle, und bedauerte es, als dieser ablehnte, weil er sich nicht mehr ins Politische ziehen lassen wollte[42]. Eigener Aktionen war sie müde. Statt dessen beschäftigte sie sich während der vierzehn Jahre, die sie in Italien lebte, wieder mehr mit Musik und zum ersten Mal mit Schreiben, ermutigt von ihrer Arbeit bei den Kultur-Magazinen, vor allem aber von ihrem Mitarbeiter Corrado Tumiati.

Mit Tumiati war Elisabeth bald nach dem Kennenlernen eine Beziehung eingegangen, kurz darauf zog er in San Domenico ein. Das Gebundensein an einen Mann gehörte nach ihren Vorstellungen unabdingbar zum Leben, wieder war es ein Älterer, für den sie sich entschieden hatte. Corrado war genauso alt wie Elisabeths Mutter Katia, also bereits siebzig Jahre. Äußerlich erinnerte er mit seinem feinen Gesicht und der schlanken Gestalt an ihren Vater. Von seinem Vorgänger, dem Sizilianer Borgese, unterschied sich der Norditaliener Tumiati, eher zurückhaltend und ruhig, wie der Tag von der Nacht. An Tumiatis Seite konnte Elisabeth zur Ruhe kommen, überlegen fühlte sie sich ihm nicht. »Daß es ein wesentlich älterer Mann war«, sagt sie heute, »habe ich damals noch gebraucht. Ich wollte zu jemandem aufschauen.« Heirat stand nicht zur Debatte, denn »er war Witwer mit Kindern, und es schien zu kompliziert. Wir haben es also bleiben lassen«.

1953 schrieb Elisabeth ihre erste Novelle, »Das andere Delhi«, die »auf einer wahren Geschichte beruht und von einem Mann handelt, der sein Schicksal vermeiden will und es eben dadurch erfüllt.« In der Novelle liest sich das sinngemäß so: Die Hauptfigur Howard, durch Klumpfuß und Einsamkeit vom Leben ausgeschlossen, findet im Verfolgen öffentlicher Statistiken traurige Ersatzbefriedigung. Das Diktum des Statistischen Amtes, nach dem die Einwohner der Stadt mit geringsten Abweichungen jährlich 802 Postkarten unfrankiert in die Briefkästen werfen, will Howard nun eigenmächtig zu Fall bringen – das Schicksal bezwingen. Mühevoll schreibt er vierhundert Karten an erfundene Freunde und Bekannte, um die Quote um fünfzig Prozent zu steigern. So konnte er »die Priesterschaft der Statistik Lügen strafen«, so in »Das andere Dehli«, »konnte einem blinden Schicksal, an das zu glauben er nicht länger gewillt war, seinen Verstand und seine Tatkraft entgegenstellen. Einsam, hinkend, innerlich gealtert, war er dennoch stärker als jene Göttin, die solchen Unsinn wie eine

Im Restaurant mit Corrado Tumiati (rechts)

gleichbleibende Menge jährlich im Stadtgebiet unfrankiert eingeworfener Postkarten zum Gesetz erhob. Nicht nur sein freier Wille, die Willensfreiheit als solche stand auf dem Spiel.«[43] Eine solche Herausforderung des Schicksals kann, wie schon die alten Griechen wußten, nicht gut gehen. Zu seinem verständnislosen Entsetzen muß Howard der Zeitung entnehmen, es seien, wie erwartet, wieder 802 unfrankierte Postkarten gezählt worden. Und seine vierhundert? Empört humpelt der Sonderling zum Statistischen Amt, ruft »Betrug!« und erklärt dem zuständigen Professor die Situation. Dieser bricht in höhnisches Gelächter aus und guckt ihn mitleidig an: »Wissen Sie denn nicht, daß jedes Jahr irgendein armer Narr versucht, die Statistik aus dem Gleichgewicht zu bringen?«[44]

Elisabeth schrieb auf Englisch, von Anfang an, und eher für sich selbst, als an Veröffentlichung zu denken: »Schriftsteller wollte ich bestimmt nicht werden.« Doch kann ein Kind Thomas Manns wirklich nur für sich selbst schreiben? Sie gab dem Vater denn auch 1953 das kleine Stück zur Begutachtung, wohl wissend, daß er »ebensowenig wie meine Mutter wollte, daß wir Kinder Literaten oder Künstler würden«. Über Monika, die sich später »Feuilletonistin« nannte, ließ der Vater die Bemerkung fallen, Musikerin zu werden, habe sie probiert, das habe nicht geklappt, Malerei habe sie probiert, vergeblich, nun versuche sie es mit dem Schreiben... Schriftsteller könne ja wohl jeder werden. Diese Worte klangen der jüngsten Tochter, die sich vom Vater keine ernsthafte Kritik versprach, noch im Ohr. »Ich wollte nur seinen allgemeinen Eindruck kennen und freute mich, daß er sich überhaupt dafür interessierte.« Tatsächlich habe ihm die Novelle »ganz gut gefallen«, sagt Elisabeth. Generös attestierte der große Schriftsteller der Amateurin: »Jawohl, das ist doch eine richtige Novelle.«

Unter dem lapidaren Titel »To whom it may concern« (Wen immer es angehe) erschien 1962 ihr erster Band mit Kurzgeschichten beim New Yorker Verlag George Braziller, 1965 unter dem Titel »Zwei Stunden« auch in Deutschland. Sehr viel Beachtung fand das Buch nicht; als es einmal vergriffen war, wurde es nicht wieder aufgelegt. Im Vorwort der Neuausgabe von 1998 gesteht die Autorin, sie habe das Lesen der alten Geschichten lange hinausgezögert (so wenig habe die Person, die sie damals geschrieben habe, mit der Frau von heute zu tun, die nun seit mehr als dreißig Jahren den Meeren verfallen sei), und fuhr selbstkritisch fort, die Geschichten seien »zweifellos einfallsreich, gelegentlich aber auf zu großer Apparatur aufgebaut, wodurch sie zur Langweiligkeit neigen.«[45]

Das ist streng. Tatsächlich schrieb Elisabeth keine gefällig formulierten Geschichten, in deren Mittelpunkt die Auseinandersetzung mit einzelnen Charakteren stand. Ihre Novellen sind sach-, nicht personenbezogen: »Es sind Probleme, die mich wohl schon seit meinem fünften Lebensjahr beschäftigt haben«, wie die Frage, was das Individuum ist. In welcher Beziehung steht es zur Umwelt? Wie frei ist der freie Wille? Und wie hängen persönliches Schicksal und Gemeinschaftsschicksal zusammen?

Die Geschichten sind pessimistisch, mit absurd-phantastischen Elementen, und verleugnen nicht den Einfluß der bewunderten Autoren Samuel Beckett und Eugène Ionesco. In der Erzählung »Die Probe« entfesselt ein Affe, dem ehrgeizige Wissenschaftler das Dirigieren beigebracht haben, ein orgiastisches Durcheinander im Orchester, bei dem es zu Schändungen und gräßlichen Verstümmelungen des menschlichen, angeblich so zivilisierten Personals kommt. Geist und Kultur erweisen sich als labil, denn »je futuristischer die Mittel, desto archaischer die Wirkungen«[46]. Um Schuld und Reinkarnation geht es in »Und wieder«: Ein Vater meint in seinem Sohn den wiedergeborenen Jungen zu erkennen, der ihm einst ins Auto rannte, und verliert sich in seinen depressiven Befürchtungen, bis er auch den eigenen Sohn versehentlich überfährt. Und in »Der unsterbliche Fisch« läßt sich ein zukunfts- und technologiegläubiger Wissenschaftler einfrieren, um seine Reanimierung hundert Jahre später zu erleben. Das Experiment funktioniert, doch seinen Vortrag vor begeisterten Forschern kann er leider nicht mehr halten: Auf dem Weg dorthin erfaßt ein Auto den Wiedererweckten …

Ziemlich düstere Gedanken also, die der »guten Medi« so im Kopfe herumgingen, die einzige Form von Pessimismus, die sie sich gestattete. »Ein Mensch ist von seiner Zeit nicht trennbar«, glaubt Elisabeth, »in eine andere paßt er nicht, und es ist tragisch, seiner Zeit voraus zu sein. Die Welt bekämpft das. Zu Optimismus muß man sich zwingen.« Wie oft habe sie erlebt, daß Visionäres, gerade auf politischem Gebiet, abgelehnt wurde, weil es »zu früh« kam. »Manchmal hat man das Glück, daß es doch Realität wird und man es noch erlebt. Aber dazu muß man furchtbar eigensinnig sein und viel Zeit haben.« Und dürfe nicht vor der Zeit verbittern.

Ein anderes Grundthema ihrer Geschichten, die Möglichkeit von Individualität, beschäftigt sie heute angesichts gentechnologischer Fortschritte besonders: »Ich glaube, daß wir uns selber betrügen, wenn wir uns für individuell und unabhängig halten und an unseren freien Willen glauben.« Eigentlich hätten wir nämlich keinen freien Willen, meint Elisabeth, »sondern sind bedingt von der Zeit, der Umwelt, den Genen.«

Diese Grundgedanken durchziehen auch Elisabeths zweites Buch, das in Florenz entstanden ist. Da sie nun einmal zur Feder gegriffen hatte, wollte sie auch endlich das Frauenthema für sich zu einem Abschluß bringen, denn es hatte sie seit ihrer Jugend unzählige, einsame Morgenstunden gekostet. »Ascent of Woman« (Der Aufstieg der Frau) erschien 1963, ebenfalls auf englisch. Der Titel war »natürlich eine Anspielung auf Darwins ›Descent of Men‹, denn ›*descent*‹, kann ja zweierlei bedeuten: ›Ursprung‹ oder ›Abstieg‹.«[47] Das Buch, so Elisabeth, sei auf der These aufgebaut, daß sowohl in der Tierwelt als auch bei den Menschen, in der Philosophie, der Psychologie, ja sogar in der Linguistik zwischen Weiblichkeit und Kollektivem ein Zusammenhang bestehe, während dem Männlichen das Individuelle zugeordnet sei. »Ein Musterbeispiel sind die Insektenstaaten, die Bienen und Ameisen … und ich habe das auf den verschiedensten Gebieten nachgewiesen.« Eigentlich frech, findet sie heute, »dazu braucht's ja mehr Erfahrung, als ich damals hatte. Aber ich habe immerhin mit fünfzehn damit angefangen und so etwa dreißig Jahre daran gearbeitet.«

Das Buch, so Elisabeth stolz, »wurde in der ›New Yorker Herald Tribune‹ besprochen«, kam allerdings nicht überall gut an.[48] Irritation löste, wie nicht anders zu erwarten, das letzte Kapitel aus, in dem Elisabeth ihre Utopie einer für Frauen gerechteren Welt- und Gesellschaftsordnung ausführte. Darin erklärt sie zunächst ganz harmlos, daß nach ihrer Erfahrung schon in der Kindheit Töchter benachteiligt würden. Als Beispiel erwähnt sie, wie ihre Mutter Katia den kleinen Michael und Elisabeth in identischen Russenkitteln Gästen vorgeführt hatte, um zu hören, das ernstere Kind müsse wohl der Junge sein. Sie erinnert sich an den Psychiater Dr. Katzenstein, der ihr bei ihrem Liebeskummer wegen Fritz Landshoff geraten hatte, sich nicht auf einen Mann, sondern auf die Musikausbildung zu konzentrieren, denn beides, Liebe und Beruf, sei für Frauen ohnehin nicht zu haben, eine Wahl, »vor die man einen Mann nie stellen würde«. Nach dieser sachlichen Einführung über altmodische Rollenbilder vergaloppiert sie sich allerdings in eine abenteuerliche Vision der Thesen Platons. So stellen in ihrer Welt Männer die älteren, weiseren und erfahreneren Wesen dar, an die sich junge Frauen halten und von denen sie lernen sollten, gleichzeitig dienen sie mit der Familienbetreuung der Gemeinschaft. Jedoch nur bis zu einem bestimmten Alter: »Die nun etwa Fünfundvierzigjährige hat ihr Frauenleben voll erlebt, sie hat Kinder aufgezogen, von dem Mann, den sie liebte, gelernt, was ihr, als seiner Schülerin, zu lernen gegeben war.«[49] Danach könne die Frau sich von ihren Pflichten freimachen und ihre eigenen schöpferischen Gaben entfalten. Sie werde selber Weisheit und Tugend an Jüngere vermitteln können, »sie wird in die Rolle eines Mannes wachsen; sie wird ein Mann werden«[50].

Das Rollenmodell des erfahrenen Mannes als Vorbild für eine befreite Frau stieß die Vertreterinnen der in den sechziger Jahren aufkommenden Emanzipation vor den Kopf. Doch mit Büstenhalter verbrennenden Feministinnen hatte Elisabeth ohnehin nichts anfangen können; zum einen belächelte sie sprachliche Albernheiten, wie anstelle »man kind« das geschlechtsneutrale »human kind« zu benutzen, zum anderen interessierte sie die Fokussierung auf die sexuelle Befreiung nicht sonderlich: »Ich fühlte mich durchaus frei.«

Der autobiographische Hintergrund ihres Buches ist unverkennbar. Elisabeth war gerade fünfundvierzig Jahre alt, als »Ascent of Women« erschien, in dem Alter, in dem sie sich gemäß ihren Ausführungen nach einer Phase sozialer Verantwortlichkeit nun endlich der eigenen Berufung widmen konnte. Elisabeth hatte nach den langen Ehejahren mit einem dominanten Mann den Mut gefaßt, sich beruflich, intellektuell und emotional aus seinem Schatten zu lösen. Und so ist es wohl erlaubt, »Ascent of Woman« als persönliche Befreiungsgeschichte zu lesen.

Das Frauenthema hatte sich für sie mit der Veröffentlichung des Buches im übrigen erledigt: »Von da an habe ich einfach gehandelt wie ein Mensch, egal ob weiblich oder männlich. Es interessierte mich nicht mehr.«

Die mit den Tieren spricht

Elisabeth schien beschlossen zu haben, die Jahre in Florenz zu einer Zeit des Experimentierens zu machen und allen Neigungen zu folgen, für die es zuvor keinen Raum gegeben hatte. Auf jene Zeit geht auch eine Leidenschaft zurück, die sie im Gegensatz zu ihrer Arbeit für den Club of Rome, die UN-Seerechtskonvention oder ihr Meeresinstitut bis heute eher im verborgenen pflegt: ihre Liebe zu Tieren. Dazu gehört auch, in ihrem Haus in Halifax englische Setter in der Kunst des Klavierspielens zu unterweisen, und zwar auf eigens konstruierten, knöchelhohen, durchaus kostspieligen Pianos.

Sie selbst kann daran nichts wirklich Wunderliches finden, amüsiert sich daher über die Verwunderung Fremder. Hundenärrin war sie seit der Kindheit, als sie in der Poschingerstraße die Vierbeiner des bekennend leidenschaftlichen Hundeherren Thomas Mann im Souterrain besuchte. Ihre Mutter, erinnert sie sich, habe

Setterrüde Arli an der »Schreibmaschine«

dessen Passion geduldet, sei aber unwirsch geworden, wenn der Schriftsteller nach dem Essen seinen Teller vom Hund blanklecken ließ.

Seit 1953, als die beiden kleinen Töchter je einen englischen Setterwelpen bekamen, hat Elisabeth Hunde im Haus. Ihre Faszination für die Verständigung zwischen Tier und Mensch packte sie jedoch erst ein paar Jahre später, und mit dem ihr eigenen ernsthaften Ehrgeiz widmete sie sich dieser Leidenschaft, als gelte es, eine neue Weltverfassung abzuliefern.

Schlüsselerlebnis war die Furore, die ein »Wunderhund« Anfang der sechziger Jahre in Italien machte. Magazine und Zeitungen berichteten über die Pudelhündin Peggy aus Brescia, die, so Elisabeth, »ebenso wie ihre Besitzerin offensichtlich ein Medium war«. Der Hund war im Stande, mit Buchstabenkarten zu beschreiben, was er auf Bildern sah. Elisabeth setzte sich ins Auto, fuhr hin und überzeugte die Besitzerin, mit dem Hund »Studien« machen zu dürfen. Um sicher zu gehen, schickte sie die Pudelherrin aus dem Zimmer, zeigte dem Hund ein zufällig aufgeschlagenes Buch und ließ Peggy Buchstabenkarten aussuchen. Deren Bedeutung: »Cavalli« (Pferde). Auf der Buchseite sah man tatsächlich zwei Ackergäule.

Elisabeth war Feuer und Flamme. Sofort begann sie, ihre Hunde zu trainieren. Diese, gutwillig, aber nicht alle von intellektuellem Format, erwiesen sich bis auf einen als ziemlich ungeeignet. »Arli« aber lernte Buchstaben zu unterscheiden und auf einer eigens angefertigten elektrischen Schreibmaschine mit überdimensional großen Tasten mit seiner Nasenspitze die Worte »Cat«, »Dog«, »Meat«, »Good« und »Arli« zu tippen. (Auch für Hunde galt die Familiensprache Englisch.) Über die Fehlerquote führte seine wissenschaftliche Herrin streng Buch. Ende 1964 empfingen überraschte Freunde Elisabeths eine vom Setter geschriebene Weihnachtskarte. 1965 ließ sie den Hund frei assoziieren und übergab Kurztexte wie

art ad
abd ad arrli
bed a ccat

einem Kritiker moderner Prosa, der eine »deutliche Verwandtschaft« mit der »konkreten Poesie« Brasiliens festzustellen meinte und eines gar als Anti-Kriegsgedicht auslegte.[51] Später unterrichtete Elisabeth ihre wachsende Hundeschar – zeitweise acht Setter – im Klavierspiel. Die Hunde »spielten« dabei mit ihren Nasen, von Streichkäsehappen zu den sehr breiten Tasten gelockt, und stellten sich gar nicht ungeschickt an. Musterschüler »Claudio« bleibt unvergessen, weil er bei einem kleinen Mozartmenuett und einem Kinderstück Schumanns die rechte Hand spielte, während seine Herrin die linke übernahm.

Mit derlei Spielereien war es Elisabeth durchaus ernst. »Mich interessierte, wieviel Tiere lernen und wie weit wir mit ihnen kommunizieren können, also nicht nur der physiologische, darwinistische Zusammenhang zwischen Tier und Mensch, sondern auch der intellektuelle und kreative.« Noch heute erteilt sie ihren vier Hunden Klavierunterricht. Der derzeitige Star, die Hündin »Princess«, spielt die »Ode an die Freude« schon recht passabel.

Im Januar 1964 wagte sich Elisabeth auch an größere Forschungsobjekte; sie fuhr für drei Monate nach Südindien, um Elefanten zu beobachten. Begleitet von einem italienischen Malerehepaar, das eine Mitfahrgelegenheit suchte, dem jungen Peter Wehrli, einem Freund von Michael Manns Sohn Frido, und der Tochter eines amerikanischen Freundes fuhr die Sechsundvierzigjährige mit einem Jeep von Florenz über Jugoslawien, Bulgarien, die Türkei, durch den Irak und Pakistan nach Indien, meist selbst am Steuer. Sie übernachteten in unkomfortablen Gaststätten, und je weiter sie in unerschlossene Regionen vordrangen, desto abenteuerlicher wurde die abendliche Quartiersuche in einsamen Dörfern. »Die Hinfahrt dauerte 21 Tage«, erinnert sich Elisabeth, »zurück hatten wir die Künstler nicht mehr dabei, da ging's schneller.« In Kerala lebte sie mit Peter Wehrli und der jungen Amerikanerin in einfachen Camps, in denen Elefanten Holzarbeit leisteten. »Einmal hatten wir ein Gasthaus im Dschungel, und der Forstminister, den ich um Hilfe gebeten hatte, führte uns morgens auf einen Elefantenritt hinein. Da erlebten wir, wie der Dschungel bei Sonnenaufgang erwacht.« Elisabeth erprobte ihre Lernmethoden an Elefanten und brachte einer Elefantendame bei, mit dem Rüssel einen markierten Teller, unter dem Belohnungsfutter verborgen war, von einem unmarkierten zu unterscheiden.

Der Aufenthalt in Indien endete mit einer Episode, die die Faszination der sonst so nüchternen Elisabeth für Okkultes entschieden beeinflußte. Vor ihrer Abreise wollte sie Präsident Nehru, den sie bei einer Lesung ihres Vaters und später durch die Arbeit an der Weltverfassung erlebt hatte, besuchen und hatte sich daher an einflußreiche Freunde in Neu Dehli gewandt. Deren schriftliche Antwort: Nehru gehe es sehr schlecht, doch habe er gute Tage – sie möge abwarten. Da befand sich Elisabeth noch im Süden, wo sie der dortigen Abendunterhaltung huldigte und sich die Zukunft aus der Hand lesen ließ. Ein kleiner Wahrsager mit Turban, Äffchen und Papagei sagte ihr, sie warte wohl auf wichtige Nachricht. Sei sie erst im Norden, werde sie diese erhalten. In Neu Dehli angekommen, vertrösteten ihre Freunde sie; Nehru ginge es noch schlecht, aber sie möge etwas abwarten, vielleicht habe er doch Zeit. »Ich blieb also in der Stadt und ließ mir auf dem Markt wieder aus der Hand lesen. Auch dieser Mann sagte, ich würde auf eine wichtige Verabredung warten. Sie fände anderntags um zehn Uhr statt, dann würde ich das Land verlassen. Und im Hotel lag tatsächlich die Nachricht, Nehru erwarte mich am nächsten Tag um zehn Uhr. Danach fuhren wir heim.« Ein geeigneter Abschluß für eine besondere Reise, der Peter Wehrli einen Satz Elisabeths verdankt, den er für einen der prägendsten seines Lebens hält: »Überall ist alles anders.«

Auf Hunde und Elefanten wollte sich Elisabeth, mutig geworden, nicht beschränken. Ende der sechziger Jahre, sie arbeitete bereits im amerikanischen Santa Barbara, leistete ihr in ihrem dortigen Bungalow nicht nur Setter Arli, sondern auch ein Schimpanse Gesellschaft. »Bob« hatte sie mit der nicht ganz lauteren Behauptung, eine erfahrene Tierforscherin zu sein, von einem

Mit den Töchtern Angelica (links) und Dominica in Fiesole, sechziger Jahre

Händler übernommen. Er war damals vier Jahre alt, ein Kind sozusagen, und dem morgendlichen Unterricht mit allerlei Dressuren (Schreibmaschine lag ihm nicht) aufgeschlossen. Der Affe lebte zwar zum Teil im Käfig, belegte aber bald das ganze Haus mit Beschlag, aß mit Elisabeth am Tisch, schwang sich auf die Vorhangstangen, tobte mit dem Hund. Elisabeths abendliche »Schimpansen-Partys« wurden zum Renner von Santa Barbara. Bob betrachtete ernst die Gäste, applaudierte, wenn einer förmlich und gestelzt sprach und war auch den angebotenen Martini-Cocktails nicht abgeneigt. »Das hat ihm nicht geschadet«, sagt Elisabeth, »nur einmal gab er mir eine bildliche Vorstellung von einem ›hangover‹. Da hing er am nächsten Tag eine ganze Weile schlaff und kopfüber auf einer Stuhllehne.« Die Wohngemeinschaft mit dem Schimpansen währte immerhin zwei Jahre, bis Elisabeth das Tier an eine Forschungsanstalt in Atlanta abgab. 1968 erschien ihr Buch »The Language Barrier« (Wie man mit den Menschen spricht) über Kommunikation und Studien mit Tieren, ein Plädoyer für mehr Respekt im Umgang mit Wesen, die sie als erstaunlich intelligent und sensibel beschrieb.

Im Laufe weniger Jahre hatte sie nun einen düsteren Novellenband, eine emanzipatorische Utopie und ein euphorisches Tierbuch veröffentlicht. Ihre Lebensaufgabe hatte sie damit noch nicht gefunden.

V Botschafterin der Meere

»O freier Mann, du liebst für alle Zeit das Meer!
Es ist ein Spiegel in dir, der Seele Urgewalten
Schaust du in seines Schwalls unendlichem Entfalten;
Dein Geist ist wie sein Schlund von bitteren Salzen schwer.«

Früh hatte Elisabeth Mann Borgese diese Zeilen aus Baudelaires »Die Blumen des Bösen« entdeckt und sich in jugendlicher Emphase sofort in ihre Dramatik verliebt. Als fünfzehnjährige Musikversessene versuchte sie sogar »mit großer Hingabe«, eine Melodie zu den Strophen zu komponieren, was sich allerdings als eine »dermaßene Frustration« erwies, daß sie künftig die Finger vom Liedermachen ließ.[1]

Wie ein Leitmotiv aber begleitete Elisabeth die Liebe zum Meer. Als Kind war sie jeden Sommer mit den Eltern ans Mittelmeer, an die Ostsee oder Nordsee gefahren und hatte sich vom Vater die Weite des Horizonts erklären lassen. Eine »Zauberwelt« schien ihr das Leben am Wasser zu eröffnen, wenn sie an der ligurischen Küste planschte, mit ihrer Mutter Katia schwamm oder in Nidden auf ungesattelten Pferden den Strand entlanggaloppierte, und noch heute in Kanada, wenn sie in ihrem Haus am Atlantik frühmorgens den Espressosatz aus seinem kleinen Behälter ins Spülbecken leert und dabei durch die große Glasfront zur Veranda hinaus auf die fjordartige Bucht blickt, muß sie an die feuchten Sandkuchen denken, die sie damals am Strand buk.[2] Als ihre Kinder klein waren, fuhr sie mit ihnen von Florenz ins eigene Ferienhaus im nahegelegenen Forte dei Marmi, und heute scheint es ihr undenkbar, nicht am Meer zu leben und nicht von ihrem Schreibtisch im oberen Stockwerk des Hauses, wie vom Ausguck eines Schiffs, über das Wasser sehen zu können. Vielleicht, meint sie, habe sie diese Faszination vom Vater geerbt, der das Meer zum Leben und Arbeiten gebraucht habe. Sein »Liebesverhältnis« zum Wasser, seine »Ehrfurcht« vor dessen Weite und Wildheit[3] erinnert sie so gut wie die gemeinsamen Besuche im Naturwissenschaftlichen Museum Chicagos 1951, wo Thomas Mann angesichts der Darstellung frühesten organischen Lebens in unendlicher Meerestiefe in eine Art »biologischen Rausch« verfiel: »Dort fing alles an.«[4]

Nicht immer erwächst aus Liebe allein eine Passion oder gar Lebensaufgabe. Zufällige Entwicklungen und Begegnungen drängten Elisabeth geradezu den Meeren zu, dem intellektuellen »Hauptthema meines Lebens«. Als sie 1967 die Weltmeere und ihre Ressourcen als Forschungsgebiet entdeckte, stellten sie eine ungeordnete Welt dar, und wie Thomas Manns Tonio Kröger schaute Elisabeth »in eine ungeborene und schemenhafte Welt hinein, die geordnet und gebildet sein will«[5]. Zwanzig Jahre zuvor hatte sie mit Giuseppe Antonio Borgese an einer neuen Weltordnung gearbeitet, verdienstvoll, aber utopisch. Beim Meer indes ließen sich nun vielleicht viele der hehren Ziele von damals verwirklichen.

Ihrem jüngsten Buch »Mit den Meeren leben« stellte Elisabeth ein Wort Gandhis voran, der die Struktur des Lebens wie Wasser beschrieb, in das jemand einen Stein wirft. Es bilden sich Kreise, die sich erweitern, vergleichbar dem einzelnen Menschen, der sein

Leben in Bezug zu seinem Dorf definiert, das Dorf eingebettet in eine Region und so fort. Das Leben, so Gandhi, werde

»ein Kreis der Meere sein;
Sein Mittelpunkt ist der einzelne,
der immer bereit ist, für sein Dorf zu sterben,
und letzteres ist bereit, für den Kreis der Dörfer zu sterben,
bis das Ganze zuletzt ein Leben wird,
welches aus einzelnen besteht,
die niemals aggressiv und arrogant werden,
sondern immer demütig,
weil sie den majestätischen Kreis der Meere teilen,
dessen untrennbarer Teil sie sind.«[6]

Individuum und Gemeinschaft: das Thema in Elisabeths Novellen. Und so klangen vor langer Zeit angeschlagene Töne weiter – die Faszination aus der Kindheit, die philosophisch-politischen Anliegen der jungen Jahre –, und die Leitmotive von einst schienen im Meer nun miteinander zu verschmelzen.

Ozeanische Ziele

Wieder war es Robert Hutchins, enger Freund seit mehr als zwanzig Jahren, der Elisabeths berufliche Karriere in eine neue Richtung manövrierte. Empört über die Restriktionen der McCarthy-Ära, hatte er sich nicht etwa enttäuscht in den Ruhestand zurückgezogen, sondern schon 1952 im kalifornischen Santa Barbara mit Mitteln der Ford Foundation ein Forschungszentrum eingerichtet. Das »Center for the Study of Democratic Institutions« analysierte Innen- und Außenpolitik sowie globale Entwicklungen und erstellte Friedensstudien, ganz im Geist des ehemaligen Weltverfassungs-Komitees. Außerdem kümmerte sich Hutchins um die Herausgabe der »Encyclopaedia Britannica«.

Das Haus am Meer in Forte dei Marmi

Für sein Institut brauchte Hutchins jemanden, dem interdisziplinäres Denken und das Zusammenbringen von Menschen leicht fiel. Im Jahr 1964 wandte er sich an Elisabeth. Die Sechsundvierzigjährige konnte sich nach zwölf eher kontemplativen, musischen Jahren mit Literatur, Kunst und Tieren sehr gut vorstellen, wieder politikwissenschaftlich zu arbeiten. Nur nach Amerika, der imperialen Weltmacht, zog es sie nicht unbedingt zurück. Obwohl sie seit 1941 einen amerikanischen Paß besaß, identifizierte sie sich nicht mit dem Land McCarthys und des Koreakriegs. Mit dem

Ausbruch des Vietnamkriegs verspielte das Land der Freiheit und der Demokratie bei ihr die letzten Reste an Sympathie. Hutchins' Center allerdings verhieß ein liberales Klima, und so sagte sie zu.

Die Töchter Angelica und Dominica waren inzwischen vierundzwanzig und zwanzig Jahre, alt genug, um alleine zu leben, und ihre Mutter neigte ohnehin nicht zum Gluckenhaften. Um Corrado Tumiati allerdings machte Elisabeth sich Sorgen. Seiner ehrgeizigen und unternehmungslustigen Lebensgefährtin nach Kalifornien zu folgen, ging über die Kräfte des alternden Schriftstellers. »Es wäre sehr grausam gewesen, ihm das zuzumuten«, so Elisabeth heute. »Solange er noch lebte, bis 1967, habe ich also das Haus in Florenz behalten, in dem er weiterhin wohnte, und habe selbst auch die Hälfte des Jahres in Florenz verbracht.« Der Weggang nach Kalifornien signalisierte mithin den Beginn von Elisabeths Vagabundendasein, und sollte ihr das Pendeln zwischen Europa und Amerika anfangs vielleicht strapaziös erscheinen, waren es doch unkomplizierte Nachmittagsausflüge im Vergleich zu den Reisen, die ihrem späteren Leben einen strengen Terminkalender abverlangten.

Fast fünfzehn Jahre arbeitete sie als »Senior Fellow« am »Center for the Study of Democratic Institutions« in Santa Barbara. Nachdem sie zunächst der Herausgabe der »Encyclopaedia« assistiert hatte, wandte sie sich den globalen Studien zu, an denen das Institut arbeitete. Das Campus-artige Areal, dessen Herzstück eine große Villa inmitten eines baumbestandenen Parks bildete, bot eine ideale Arbeitsatmosphäre. In dieser idyllisch-heiteren Abgeschiedenheit forschten und schrieben ungefähr zwanzig Kollegen, Naturwissenschaftler, Juristen, Politologen, Ökonomen, und debattierten ihre Ergebnisse. Um elf Uhr vormittags traf man sich zur täglichen Sitzung.

Zum Leidwesen Elisabeths mußte jeder aus dem Forschungsteam dort Referate vortragen, über die anschließend diskutiert

Elisabeth mit dem alten Freund Robert Hutchins, dessen Frau und Tumiati (von links nach rechts)

wurde; eine Tortur für die einst so Schüchterne, die ihr Unbehagen, im Mittelpunkt zu stehen, immer noch nicht abgelegt hatte. Sie wußte sich allerdings zu helfen. »Mein Vater hatte selbst oft Beruhigungsmittel genommen und mir irgendwann mal gegeben. Die schluckte ich dann vor Reden. Ich glaube, sie waren harmlos.« In einer Familie, in der gefährlicher Drogenkonsum einzelner zum Alltag gehörte, war Baldrian das wohl wirklich, genauso wie die »Heiterlein«, mit denen Golo gelegentlich seine Schwermut linderte. Außerdem hielt sich die nervliche Strapaze in erträglichem Rahmen, da der tägliche Debattierklub nur für zwei Stunden zusammenkam. Ihren Setter Arli brachte Elisabeth immer zu den Sitzungen mit. Während oberhalb der Tischplatte über nukleare Hochrüstung und Menschenrechte diskutiert wurde, streckte sich der Rüde unter dem Tisch zu Füßen seiner Herrin aus, um sich Punkt dreizehn Uhr zu erheben. »Und alle Teilnehmer wußten, daß nun Schluß für heute war.«

Die ersten drei Jahre am Center erschienen Elisabeth wie eine Reise in die Vergangenheit, denn, genau genommen, setzte sie unverdrossen die Bemühungen um die idealistische Weltverfassung fort: Das Institut konzentrierte sich auf die theoretische Neuordnung der Welt und organisierte im Rahmen seiner Friedensforschung eine Reihe internationaler Konferenzen unter dem Titel »Pacem in Terris«[7]. Sie selbst publizierte Studien und Aufsätze, pendelte zwischen den beiden Kontinenten hin und her und lebte sich trotzdem in Kalifornien ein. Dort hatte sie einen großen Bungalow bezogen, den in der Anfangszeit jener bereits erwähnte Schimpanse, Studienobjekt Bob, mit ihr teilte. Wie in Italien gingen in ihrem Haus bald wieder eine Schar alter und neuer Freunde, Wissenschaftler und Studenten ein und aus, und die Attraktion eines Schreibmaschine schreibenden englischen Setters sowie eines Martini-Cocktail schlürfenden Affen in Kombination mit großzügigen Drinks und selbstgekochten Gerichten machten die Gastgeberin zum Mittelpunkt der akademischen Szene.

Dann flatterte im Jahr 1967 der Brief eines »Unbekannten aus Connecticut« auf Elisabeths Schreibtisch. Der Verfasser setzte ihr zwingend »das ganze Ozeanproblem« auseinander, die fließende Grenze zwischen Nutzung und Mißbrauch von Meeresraum und Rohstoffen, die Unklarheit bei der Begrenzung der territorialen Hoheit einzelner Staaten, die Schutzbedürftigkeit der Tier- und Artenwelt. Nicht nur die Großmächte Amerika und Sowjetunion dehnten ihre territoriale Souveränität immer weiter aus, auch andere Länder folgten. Industrialisierung, Verschmutzung und Überfischung gefährdeten die Fischbestände. Zwei Seerechtskonferenzen der Vereinten Nationen hatten das Problem bislang nicht in den Griff bekommen, das, so der Briefeschreiber eindringlich, im politischen Alltag Brisanz erreicht hatte wie kein zweites.

Wenig später, im November 1967, hielt Arvid Pardo, UN-Botschafter der kleinen Mittelmeerinsel Malta, die soeben von England unabhängig geworden war, vor der Generalversammlung eine vierstündige Rede, in der er flammend dafür appellierte, endlich die Bedeutung der Weltmeere für die Menschheit ernst zu nehmen. Das traditionelle Seerecht, wonach die nationale Rechtsprechung nur innerhalb eines knappen Gürtels Küstengewässer Geltung hatte, die offene See jedoch wirtschaftlichem und militärischem Mißbrauch preisgab, erklärte Pardo für längst überholt und forderte, die Ozeane und ihre Bodenschätze zu ihrem eigenen Schutz und auch im langfristigen Interesse der Staaten zum »gemeinsamen Erbe der Menschheit« zu erklären.[8] Alle Ressourcen müßten zum Wohl aller Staaten, auch dem der Entwicklungsländer, die nicht über die entsprechende Technologie verfügten, bewirtschaftet werden.

Elisabeth war wie elektrisiert. Hatten nicht die Maximalisten des Chicago-Komitees ebendiese Forderung vor zwanzig Jahren in ihrer Weltverfassung aufgestellt? Nachdem die Fruchtlosigkeit ihrer Studien für das kalifornische Institut Elisabeth immer unzufriedener hatte werden lassen, bot sich nun ein Ausweg. »Es ging für mich von Anfang an um mehr als die Meere«, sagt sie heute. »Es war die Chance, unsere Vision und graue Theorie endlich praktisch anzuwenden.« Die Ozeane konnten das Laboratorium für eine neue Weltordnung werden, die Utopie berührte die Wirklichkeit.

Sofort lief sie zu Robert Hutchins. »Ich habe ihm gesagt, daß wir die Arbeit an der Weltverfassung erstmal vergessen sollten. Das sei heute so utopisch wie vor zwanzig Jahren.« Es sei wenig wahrscheinlich, mit dem ehrenhaften Austüfteln unrealisierbarer Traumwelten unter der akademischen Glasglocke in auch nur absehbarer Zeit irgendwelche Fortschritte zu erzielen. Viel aussichts-

Elisabeth, Mitte der sechziger Jahre

reicher, beschwor Elisabeth den Institutspräsidenten, scheine es hingegen, die entwickelten Ideen auf die Meere anzuwenden. Dort seien die Dinge in Bewegung, ein neues Seerecht sogar erwünscht und lediglich eine perfekte Ausarbeitung erforderlich.

Eine solche traute sich Elisabeth zu. Feuer und Flamme für ihre neue Aufgabe, mit der sie Hutchins überrumpelt, aber rasch überzeugt hatte, stürzte sie sich in die Organisation eines Drei-Jahre-Projekts, das in eine große Konferenz mit dem Namen »Pacem in Maribus« münden sollte. Die nötigen Mittel stellte Hutchins seiner euphorischen Mitarbeiterin aus dem Budget des Center zur Verfügung.

Von da an ging alles sehr schnell. Elisabeth, unbürokratischem Management schon seit den fünfziger Jahren aufgeschlossen, lud sofort Arvid Pardo, »den großen Botschafter eines kleines Staates«[9], nach Santa Barbara ein, damit er seine Vorstellungen vor dem Center auseinandersetzte. Der Malteser Pardo, Jahrgang 1914, und Elisabeth beflügelten einander auf Anhieb. »Er war ein Genie, realistisch und visionär zugleich, religiös und zynisch. Er, mein Mann und mein Vater sind die drei Menschen, die den größten Einfluß auf mein Leben genommen haben.« In der Folge arbeitete sie einen Plan aus, nach dem Fachleute wie Meeresbiologen, Juristen und Wirtschaftler zu den vorbereitenden Sitzungen unterschiedliche Themen ausarbeiten sollten. »Und auf Grund dieses Materials«, sagt Elisabeth, »habe ich Hutchins schon mal einen ersten Vorentwurf für eine Seerechtsverfassung geschrieben.« Begeisterung und ein Großteil naiver Tatkraft, durch keine falsche Scheu vor dem Mammutunternehmen gebremst, führten zu raschen Resultaten. »Das Modell hatte ich 1968 fertig.«

Wie man so etwas anpackte, hatte sie bei Borgese gelernt. Nun fand sie viele Parallelen und übernahm etliche Ideen aus der Weltverfassung für das Seerecht, als schnitte sie die alte Vorlage für einen konkreten Fall passend zu: soziale Gerechtigkeit, wirtschaftliche Nutzung, ökologischen Schutz. Den Gedanken vom »*common heritage of mankind*«, des »gemeinsamen Menschheitserbes« auf die Meere zu übertragen, empfand sie nicht zuletzt als Verbeugung vor dem Werk Giuseppe Antonio Borgeses. Im Entwurf der Weltverfassung hatte er seine Lebensaufgabe gesehen und war doch damit gescheitert. Nun, viele Jahre später, hoffte seine Witwe auf einen späten Triumph. Tatsächlich sollte der Gedanke vom »gemeinsamen Menschheitserbe« der Meere und ihrer Bodenschätze als Zentralthema die dritte UN-Seerechtskonferenz ab 1974 bestimmen.

Doch daran war 1968, als gerade mal der Entwurf für ein Internationales Seerecht stand, noch nicht zu denken. Zwei Jahre später hatte Elisabeth indes die erste Pacem-in-Maribus-Konferenz auf die Füße gestellt. Die dreijährige Förderungsdauer durch Hutchins war damit beendet. Das erste internationale Forum, auf dem man interdisziplinär über den »Frieden der Weltmeere« diskutierte, wurde auf Malta veranstaltet, der Heimat Arvid Pardos, der sich zu einem der engsten Mitarbeiter Elisabeths entwickelt hatte. Er, in dieser Szene viel mehr zu Hause als Elisabeth, erstellte auch die Gästeliste aus seinem umfangreichen Adreßbuch der »Ozean-Gemeinde«. Der Teilnehmerkreis, etwa dreihundert Experten, war daher nach ihrer Erinnerung illuster: Viele der damals jungen, engagierten Gäste seien heute bedeutende Meeresbiologen oder Seerechtswissenschaftler. Schon diese erste Konferenz trug Elisabeths persönlichen Stempel, und die Bilder jener Zeit zeigen eine unkomplizierte Frau mittleren Alters mit fransigem Siebziger-Jahre-Kurzhaar, in den vorderen Strähnen erste graue Spuren. In ihrem Gesicht, das nun mit den schärfer werdenden Zügen und der deutlicher hervorspringenden Nase mehr ihrem Vater gleicht, spiegeln ihre blitzenden Augen die Lust an ihrer revolutionären Aufgabe wider. Tagsüber redete man sich über Meeresbewirtschaftung und neue Technologien die Köpfe heiß, hin und wieder wurde der Strand zum Konferenzraum erklärt, wo man, die Füße im Wasser, auf neue Gedanken kam. Abends setzten sich die Gruppen, die in gemieteten Villen untergebracht waren, zu langen mediterranen Nächten zusammen. Soviel Pioniergeist, Schwung und Überzeugung erfüllte die Veranstaltung, daß alle Beteiligten die Fortsetzung der Konferenz verlangten. Was dazu fehlte, war das Geld. Hutchins betrachtete das Projekt als abgeschlossen, worüber sich manch mißgünstiger Kollege freuen mochte. »Wir haben uns wahnsinnig schwergetan«, erinnert sich Elisabeth. »Wir hatten überhaupt kein Geld.« Doch ein Mäzen stellte unerwartet 2000 Dollar zur Verfügung – Elisabeths erste Gehversuche im Fundraising –, die die zweite Pacem-in-Maribus-Konferenz retteten.

Drei Jahre hatte Elisabeth sich völlig auf ihre neue Aufgabe konzentriert, und der Erfolg gab ihr recht. Denn mit zweiundfünfzig Jahren wurde sie 1970 einziges weibliches Gründungsmitglied des Club of Rome, der mit seinem Buch »Grenzen des Wachstums« rund um die Welt Aufsehen erregte. Über Nacht war sie berühmt geworden. Im Vorfeld hatte der italienische Industrielle Aurelio Peccei sich in den Kopf gesetzt, herausragende Persönlichkeiten in einer Art internationalem Club der Denker zusammenzubringen und zu fördern. Zu diesem Zweck suchte er Robert Hutchins' Institut in Kalifornien auf, das durch ähnliche Zielsetzung schon von sich Redens gemacht hatte, und der geschmeichelte Hutchins legte Peccei das Ozeanprojekt als besonders geeignet ans Herz. Hier würden nicht Einzelprobleme, etwa die Fischerei, behandelt, sondern alle Themen im Kontext – sei das nicht das ideale Modell für den geplanten Club of Rome? Peccei stimmte zu und lud Elisabeth gleich ein, als Gründungsmitgleid teilzunehmen. Elisabeth heute: »Ich glaube, der Club of Rome hat ziemlich verzweifelt nach einer Frau gesucht. Es konnte nicht nur ein Club von Männern sein.«[10]

Besondere Begeisterung ließ die so Geehrte anfangs nicht erkennen. Der Club of Rome habe damals ausschließlich aus Repräsentanten der Industrieländer bestanden, und sie, »immer sehr links eingestellt«, fühlte sich »recht fremd« unter all diesen Geschäftsleuten. Zuletzt ließ sich die humanistische Sozialistin doch vom Mitbegründer Alexander King mit der Zusicherung überzeugen, man wolle auch die Entwicklungsländer einbeziehen. Auch die Club-Mitglieder mußten sich erst an Elisabeth gewöhnen. Nach einem Blick in rund hundert Männergesichter begrüßte Peccei seine Gruppe in einer der ersten Versammlungen etwas abwesend mit »Gentlemen, ...«, woraufhin sein einziges weibliches Mitglied aufstand und freundlich auf sich aufmerksam machte. Fortan hieß es: »Elisabeth and Gentlemen ...«

An den jährlichen Sitzungen des Club of Rome beteiligte sich Elisabeth seither regelmäßig, doch ihr Hauptaugenmerk galt weiterhin dem Ozeanprojekt. Nur mit Müh und Not hatte sie 1971 das Geld für die Konferenz zusammengekratzt. Im Jahr 1972 wandte sie sich entschlossen an das »United Nations Development Program« (UNDP) und erhielt eine sensationelle Zusage: Für die angestrebte Forschungseinrichtung übernähmen die Vereinten Nationen auf drei Jahre das Gehalt eines Direktors. Elisabeths »Internationales Ozean-Institut« auf Malta war geboren. Die Anfänge waren recht »bescheiden«, sagt Elisabeth; vor allem richtete es zunächst jährlich die Pacem-in-Maribus-Tagungen aus. Mit Beginn der dritten Seerechtskonferenz im Jahr 1974 allerdings trafen sich in Malta schon alle maßgeblichen Wortführer dieser UN-Veranstaltung.[11] Damit firmierte das winzige Institut auf der kleinen Mittelmeerinsel zwischen Europa und Afrika als interdisziplinäre »Denkfabrik« und Sammelbecken aller Neuansätze innerhalb der Meeresforschung.

Verfall einer Familie

Als ob sie den Ideen ihres Buchs »Aufstieg der Frau« folgen wollte, hatte Elisabeth sich einen Aufbruch ins eigene Leben erst gestattet, als die mütterlichen Pflichten weitgehend erfüllt und die Kinder aus dem Haus waren. Beide Töchter besuchten sofort nach der Schule die Universität. Angelica, die Ältere, studierte Physik in Rom und bekam 1964 ihren Sohn Micky. Eine Tochter folgte ein paar Jahre darauf. Ihre jüngere Schwester Dominica hatte an der Pariser Sorbonne mit Biologie begonnen und bald an die Rockefeller University nach Amerika gewechselt, wo sie zum Stolz ihrer Mutter »einen prachtvollen Doktor« machte. Nach dem Studium kehrte sie allerdings nach Italien zurück und arbeitete an der Universität Mailand.

Man sah sich mehrmals im Jahr: bei den gelegentlichen Besuchen der Töchter in Santa Barbara, bei Stippvisiten ihrer Mutter in New York oder in Florenz. Dort lebte schließlich auch Elisabeths Gefährte Corrado Tumiati. Erst als er gestorben war, brach Elisabeth in Italien ihre Zelte ab. Sowohl das Florentiner Haus in San Domenico als auch das schöne Ferienhaus, das sie in Forte dei Marmi hatte bauen lassen, übergab sie als vorgezogenes Erbe ihren Töchtern. Was sie von ihrem Ehemann und von ihrem Vater Thomas geerbt hatte, steckte weitgehend in diesen beiden Anwesen. San Domenico war das erste Zuhause gewesen, das sie sich selbst aufgebaut hatte. Hier hatte sie vierzehn Jahre gelebt, den üppigen Garten bewirtschaftet, Ställe ausgebaut und sich um die Ölbäume gekümmert. Sie liebte dieses Haus, und sie konnte es nicht über sich bringen, es nach ihrem Weggang noch einmal zu sehen, so stark fürchtete sie sich vor Heimweh. Es schmerzte sie daher auch, als die Töchter sehr schnell beschlossen, beide Objekte zu verkaufen und zu Geld zu machen, und es folgten viele bittere Briefe und Gespräche, bis dieser Kummer verwunden war.

Besuch von Katia Mann in Italien

Bedrückt beobachtete Elisabeth auch in Kilchberg eine Buddenbrooksche Tendenz des Verfalls. Seit dem Tod Thomas Manns lebte Katia mit ihrer ältesten Tochter alleine im Haus bei Zürich. Erika hatte sich ganz dem Gedenken ihres toten Vaters und ihres toten Bruders verschrieben, edierte die Briefe Thomas Manns, dem sie, wie fast alle Geschwister, im Alter äußerlich immer mehr ähnelte, und setzte sich dafür ein, daß das Werk von Klaus in Deutschland bekannt wurde. 1963, vierzehn Jahre nach seinem Tod, fand sie in Berthold Spangenberg einen Verleger, der neben den Romanen auch die Essays und Briefe von Klaus herausbringen wollte. Zwar durfte der Roman »Mephisto« in Deutschland nicht erscheinen, da Gustaf Gründgens' Adoptivsohn Klage gegen die

Veröffentlichung erhob[12], trotzdem empfand Erika das erwachte Interesse an den Schriften ihres Bruders als späte Genugtuung. Sie selbst glich immer mehr jenem »bleichen Nachlaßschatten«, zumal allmählich Krankheiten ihren Körper schwächten. Erst brach sie sich bei einem Sturz den Fuß, später das Bein und konnte nach Komplikationen bei der Heilung kaum mehr gehen.[13] Dann wieder machten ihr Magen oder Bronchien zu schaffen, noch mehr unerträgliche Kopfschmerzen, die, wie sich herausstellte, von einem Gehirntumor rührten. »Wen der Herr liebt, den züchtigt er«, so Erika zynisch, »mich muß er ganz besonders lieb haben.«[14]

Die vielen Krankheiten erschwerten Erika die Teilnahme am aktuellen Zeitgeschehen, doch noch immer mischte sie sich ein. Sie protestierte gegen Atomversuche ebenso wie gegen Abschußrampen für nukleare Waffen in Europa, kritisierte die Teilung Berlins, für die in ihren Augen die westliche Welt die Schuld trug, und, wie Elisabeth, den Vietnamkrieg. Auch unterstützte sie die 68er-Bewegung in der Bundesrepublik. Der alte Vorwurf, sie sei eine stalinistische Agentin, haftete bei derartigem Engagement natürlich noch zäher, obwohl sie sich zeitlebens weigerte, eine politische Standortbestimmung zugunsten Ost oder West vorzunehmen.[15] Ihre Entschiedenheit verlor sie nicht. Dennoch: Auch wenn sie nicht wirklich milde wurde, war sie wohl der Kämpfe an allen Fronten etwas müde und ihnen schon physisch nicht mehr gewachsen.

Je älter sie wurde, desto mehr verbesserte sich auch das äußerst gespannte Verhältnis zu Elisabeth, die über die Aussöhnung sehr glücklich war. Der kranken Schwester, die vor Jahrzehnten selbst um die Welt gereist und die nun durch körperliche Gebrechen immer wieder ans Kilchberger Haus gefesselt war, schrieb Elisabeth farbig und lebhaft von ihren Reisen nach Indien (»Liebste Frau Maus, ... Che vuole da questa gente! Der arme Nehru hat kein leichtes Spiel«[16]) und den Experimenten mit Elefanten. Ihre Schwester »Erimaus« hielt sie mit Anekdoten über die Fortschritte in der Hundeschule auf dem laufenden, erheiterte sie mit Klatsch über gemeinsame Bekannte und erzählte ihr amüsiert von einer Begegnung mit dem Dichter und Freund W. H. Auden, »der zu meiner Abschiedsparty in New York kam: Mit einem Packerl unterm Arm, welches, wie sich sehr schnell herausstellte, seine zerschlissenen Pantoffel enthielt, die er sofort anlegte, für die Party. Auch war sein Hosentürl offen, und er war recht schmutzig. Aber lieb wie eh und je, das Gesicht verschönt und vergeistigt – getting ready for the Nobel Prize.«[17] In Erikas letztem Lebensjahr 1969 erzählte Elisabeth der Schwester von ihren Aktivitäten und bespöttelte reimend ihr eigenes »Bunzeln« für die erste Meereskonferenz auf Malta:

»There once was a lady in Malta
Who feared that her forces might falter
She bunzeled a lot
But nowhere she got
'T was a fate that no one could alter.«[18]

Liebevoll, wie um den zärtlichen Ton längst vergangener, glücklicher Tage wieder aufleben zu lassen, schloß »Medi« ihre Briefe mit der alten Koseform ihres Namens: »Immerdar, die Dulala«.

1969 diagnostizierten die Ärzte bei Erika einen Gehirntumor, der sofort operiert wurde. Der danach eintretende Verfall stand in entsetzlicher Diskrepanz zu ihrer früheren Dynamik und vitalen Autorität. Mal sprach sie klar und überwältigte die Krankenschwester mit ihrem resoluten, selbstbewußten Charme, dann wieder trat noch einmal ihr strenges Wesen zutage, etwa wenn sie in einem Brief von Elisabeth, »als Sie drei Mal hintereinander ›auch‹ gebrauchten, dieses Wort mit ihrem blauen Filzstift jedesmal einrahmte«, wie die Vertraute Anita Naef an Elisabeth schrieb.[19] Doch die Verwirrung schritt voran. Anita Naef: »Und nun steht man da

Die älteste Schwester, Erika Mann

und muß zuschauen, wie der schöne Kopf langsam völlig zerstört wird; es ist grauenvoll.«[20] Erika Mann starb im August 1969. Sie liegt auf dem Kilchberger Friedhof, zur Linken ihres Vaters.[21]

Katia Mann hatte Erikas Krankheit in Briefen an Elisabeth sachlich und gefaßt kommentiert; sie trug es, wie sie alles andere in ihrem Leben getragen hatte. Im Vergleich zu ihrer ältesten Tochter schien die Mutter, inzwischen Mitte Achtzig, robust. Das schlohweiße Haar ließ ihre Augen noch dunkler leuchten, und selbst gesundheitliche Beeinträchtigungen raubten ihr weder Energie noch Humor. »Herzensdingerle«, meldete sie 1968 an Elisabeth, »noch immer schreibe ich aus dem Bett, und werde mich also kurz und kritzlig fassen. Das Thrombösli war so ziemlich überwunden, da hatte ich das alberne, mir noch nie widerfahrene Mißgeschick, nachts im Schlaf aus dem Bett zu steigen, hinzupurzeln und mir diverse kleine Schäden, eine geprellte Schulter, ein Loch im Ellenbogen, und diverse blaue Flecken, die den Beinen nicht recht bekamen, zuzuziehen.« Die Blessuren hinderten sie keineswegs, sich wenige Zeilen später über die weltpolitischen Zustände zu echauffieren, insbesondere darüber, daß Frankreichs Präsident de Gaulle größte Sorge wohl die Nichtzulassung Englands zur »E. W. G.« sei, anstatt daß er sich endlich um die sozialen Probleme seines Landes kümmere.[22] Waches politisches Interesse begleitete Katia, wie sich aus den Briefen an Elisabeth ablesen läßt, bis ins hohe Alter. Sie erregte sich über den Vietnamkrieg und hatte, wie der Rest der Familie, eine herzliche Abneigung gegen den amerikanischen Präsidenten Richard Nixon. Katia 1974 an Elisabeth: »Euren Nixon werdet ihr ja offenbar doch nicht los. Die Demokratie kann eben auch hilflos sein, und der Mensch war nun einmal eine Fehlkonzeption.«[23]

Weiterhin erstaunte Katia ihre Kinder mit Zähheit und komischer Dickköpfigkeit. Nach mehreren Auffahrunfällen hatte die alte Dame, deren Fahrstil als rasant und unbekümmert galt, endgültig ihren Führerschein verloren. Die Schweizer Behörden waren der Ansicht, daß eine über Achtzigjährige besser die Hände vom Steuer lassen solle, Katia nicht. Sie bestand auf der »Nachprüfung«, absolvierte tatsächlich alle Tests und schrieb den geforderten Aufsatz über »Der Mensch und sein Fahrzeug«, erzählt Elisabeth. »Aber beim Reaktionstest mit einer Maschine, an der man Knöpfe drücken mußte, haben sie sie reingelegt. Das war nicht ihre Kultur, und der Führerschein blieb weg. Es war eine Tragödie.«

Noch immer hielt die alte Dame die Familie zusammen. »Anhänglich und zärtlich« informierte »das gute, uralte Mielein« die meist jenseits des Atlantiks lebende Elisabeth über die neuesten Entwicklungen und war ihr keineswegs böse, daß die »richtige Lebenskünstlerin«[24] in ihrem an Arbeit, Reisen und Freunden reichen Leben nur selten Stippvisiten in die Schweiz unternehmen konnte. Sie freute sich im Gegenteil an der Eigenständigkeit und dem Schwung der jüngsten Tochter, deren »interessantes Milieu« sie bei Besuchen in Italien kennengelernt hatte. »Vortreffliche Menschen«, fand Katia, »wenn sie nur mehr Einfluß haben könnten!«[25] Mit Elisabeth, davon gibt die Offenheit und Direktheit ihrer Briefe Auskunft, sah sie sich einig in der Einschätzung der anderen Familienmitglieder, und vor ihr nahm sie kein Blatt vor den Mund. Über ihre Tochter Monika etwa äußerte sich Katia, wie stets, mit einer gewissen Scharfzüngigkeit. Diese lebte seit Mitte der fünfziger Jahre gemeinsam mit einem Fischer, der sich auch als Maler betätigte, auf der Insel Capri in einer Villa, die zuvor schon Oskar Kokoschka bewohnt hatte; zur Erleichterung aller hatte sie ihren Frieden gefunden, blieb aber, so Elisabeth, »genauso absonderlich, wie sie es vorher gewesen war«. Vor allem ihr Hochmut reizte Katia, die in einem Brief spöttisch vermerkte, daß Monika die Zürcher »Tat« wieder »reichlich« mit lyrischen Beiträgen versorge, welche »manchem gefallen mögen.«[26] Nicht willkommen war Katia auch Monikas pathetisches Telegramm mit »Vatergedenken« zum Todestag Thomas Manns 1969, während Elisabeth, das »treue Dingerle«, zur Freude ihrer Mutter ganz einfach »wunderschöne dunkelrote Rosen« geschickt hatte.[27]

Ewiges Sorgenkind blieb Michael. Mit knapp vierzig Jahren hatte er 1958 die Musikerlaufbahn an den Nagel gehängt und Germanistik studiert. Später unterrichtete er als Professor an der kalifornischen Universität in Berkeley. Immer noch war er dem Alkohol stark zugetan, immer noch ein Opfer seiner jähzornigen Ausbrüche. »Ernstliche Sorge« machte sich Katia um »Bibis Ehe«, vertraute sie Elisabeth an. Worin sich denn diese mysteriöse »Nervosität« wohl äußere, über die Michaels Frau Gret andeutungsweise geklagt habe? Katia: »Droht er mit Selbstmord, hat er Wutanfälle, irgendsoetwas muß es doch sein? Und katastrophal, mit ihrem Weggang oder sonst irgendwie, sehe ich es eines Tages enden.«[28] Sie sollte recht behalten. Michael starb in der Neujahrsnacht 1977 an einer tödlichen Kombination aus Alkohol und Barbituraten. Er ruht im Kilchberger Familiengrab.[29]

Auch an seinem Selbstmord sehen manche Forscher den Vater nicht ohne Schuld.[30] Hatte Michael nicht bis drei Wochen vor seinem Tod an der Herausgabe der Tagebücher Thomas Manns gearbeitet und dort lesen müssen, daß die Eltern lange über seine Abtreibung nachgedacht hätten? Daß der anfangs nicht Willkommene hinter dem geliebten »Kindchen« zurückgestanden und selbst im Vater oft genug Widerwillen, Abneigung, Kälte hervorgerufen habe? Das allein wird es nicht gewesen sein. Michaels Unglück glich in vielem, meint Elisabeth, dem Erikas: Beiden fehlte zuletzt eine Aufgabe, die sie ausfüllte. Beide hatten sich daher ins Werk des Vaters geflüchtet. Dabei, meint Elisabeth, fand Michael als Germanistikprofessor durchaus Anerkennung. »Und doch hat er mich um meine Ozeane beneidet und mich gefragt, ob er nicht dafür etwas tun oder übersetzen könne.« Sie weiß nicht, »warum er so den Mut verloren hat«. Sie erinnert sich aber noch an ihre letzte Begegnung, an Weihnachten 1977, wenige Tage vor

Golo Mann in den siebziger Jahren

Michaels Tod, als beide eine lange Nacht beim Whiskey zusammensaßen und redeten. Zum Schluß schenkte er ihr eine »Faust«-Ausgabe und seinen Kompaß: »Damit hat er sich verabschiedet.«

Zu Depressionen neigte auch Golo. Der Historiker hatte sich 1965 mit sechsundfünfzig Jahren dazu entschlossen, nach Kilchberg ins Haus der Eltern zu ziehen. Erst nach dem Tod von Vater und Bruder hatte er zu schreiben begonnen; zuvor hatte er beiden wohl nicht »ins Gehege«[31] kommen wollen. Mit seiner »Deutschen Geschichte des 19. und 20. Jahrhunderts« und dem »Wallenstein« erlangte Golo zwar Erfolg wie Ansehen, anscheinend aber nicht privates Glück. In einem Brief an Elisabeth, die sich auf diversen Konferenzen in Caracas und anderen Ländern tummelte, die in ihrer Arbeit und dem kollegial-freundschaftlichen Umfeld aufging, seufzte Katia: »Verstehst es besser, Dein Leben zu gestalten als Bruder Golo, der im Grunde doch wohl schwermütig ist.«[32]

Katia wußte, daß Golo, ganz pflichtbewußter Sohn, nur ihr zuliebe ins letzte Anwesen des Vaters gezogen war, wo er sich schwerlich als Herr im Haus fühlen konnte. Sie rechnete es ihm hoch an. Gelegentlich scherzte sie zwar über die »ganz nette Ehe«[33], die sie dort mit Golo führte, gleichzeitig bekümmerte sie aber seine Melancholie, wie sie Elisabeth anvertraute. Immer wieder ermunterte sie Golo zu Ausflügen, »weil er doch so depressiv ist und nicht das Gefühl haben soll, er müsse nun immer in Kilchberg sitzen«[34].

Immer mehr mußte Golo das Amt des Familiensprechers übernehmen, Copyright und Vermögen verwalten. Es ging ihm zunehmend auf die Nerven, vielleicht auch, weil er nicht andauernd auf seinen übermächtigen Vater angesprochen, an ihm gemessen werden wollte, den er nie mit der zärtlichen Familienformel »Zauberer« benannte, sondern stets knapp »TM« oder »den Alten«.[35] In geduldigen, auch humorvollen Schreiben erklärte er zwar den Schwestern finanzielle Transaktionen oder Einkünfte, Erlöse aus Klaus' Werken oder Zahlungen der Verwertungsgesellschaft Wort

(»diesmal waren es für TM DM 3500, für mich drei Mark und fünfzig Pfennige, so ungerecht ist die Welt«[36]), doch manchmal wollte er von Tantiemen-Kontrolle oder Debatten über die strittige Edition der Thomas-Mann-Tagebücher von Bruder Michael, einfach »von alledem nichts mehr wissen«.[37] Seine Bitterkeit gegenüber dem Nobelpreisträger wuchs derart, daß Elisabeth, die mit dem Bruder einen sehr vertrauten Umgangston pflegte, ihn schließlich ermahnte, ab einem bestimmten Alter müsse man wirklich aufhören, seine Eltern dafür verantwortlich zu machen, wie man sei.[38]

In Wahrheit, so Elisabeth, war Golo vor allem so unglücklich, weil er unter seiner Einsamkeit litt: »Ich glaube, er hatte nie mit jemandem eine Beziehung, das war seine Tragik.« Wohl habe Golo sich zu anderen Männern hingezogen gefühlt, doch nie zu homosexuellen, die seine Gefühle hätten erwidern können. Und hätte er überhaupt gewagt, sich tatsächlich darauf einzulassen wie sein diesbezüglich unbekümmerterer Bruder Klaus? Elisabeth bezweifelt es. Zu gehemmt sei Golo gewesen, zu zart sein Selbstbewußtsein, zu diskret sein Naturell.

Etwas Düsteres schien über dem Haus Mann zu hängen, und als Katia Mann 1980 im Alter von siebenundneunzig Jahren starb, fehlte zuletzt auch der heitere, stabile Mittelpunkt, der alles zusammengehalten hatte. Die Mutter, sagt Elisabeth, war unvergleichlich gewesen. Und sie war unersetzlich. Nur drei ihrer Kinder überlebten Katia. Namentlich das Verhältnis zwischen Monika und Golo verschlechterte sich nach ihrem Tod dramatisch. Zeitweise nannte Golo seine Schwester in Schreiben an Elisabeth nur noch »die aus Capri«, deren Beschimpfungen in Briefen er nur zur Hälfte lesen könne, weil ihm dann »sehr übel« werde.[39] Oft ging es, warum auch ausgerechnet in dieser Familie nicht, um Geld. Golo über Monika: »Daß sie in aller Heimlichkeit bereits ein Testament gemacht hat, demzufolge das Ganze irgendeinem guten Zweck zugeführt werden soll, dessen halte ich sie durchaus für fähig. Die

Monika Mann im Jahr 1983

einzige Hoffnung ist, daß ihre Faulheit noch schwerer wiegt als ihre Bosheit.«[40]

Böse konnte Monika in der Tat sein. 1979 ließ sie in einem Zeitungsinterview an ihren Verwandten kaum ein gutes Wort. Klaus und Michael seien ihre Lieblingsgeschwister gewesen, wohingegen sie sich mit Erika nicht gut verstanden habe. »Meine Schwester Elisabeth schwirrt in der Welt herum, wirft all ihr Geld in den Ozean. Manchmal schreiben wir uns böse Briefe, weil sie nicht genug bekommen kann.« Und mit Golo, »ein Hagestolz und von Natur aus griesgrämig«, bestehe wenig Verbindung.[41]

Elisabeth, ebenso auf Harmonie und Verbindlichkeit bedacht wie ihre Mutter, konnte deren ausgleichende Rolle nicht voll übernehmen, denn zu sehr nahm sie das intensive Leben, das sie sich aufgebaut hatte, in Anspruch. Doch sie entzog sich ihrer moralischen Verpflichtung nicht in Gänze und beobachtete voll Sorge, wie nahe am Unglück auch ihre noch lebenden Geschwister balancierten. Sie zeigte sich gegenüber dem geliebten Bruder Golo anhänglich und hielt mit Monika den Kontakt, obgleich auch sie mit dieser etliche Händel auszutragen hatte, etwa, weil sie wieder mal unverdrossen um eine Spende für das Ozean-Institut auf Malta, für Seminare und Konferenzen gebeten hatte. Trotzdem: Sie half Monika, ihre feuilletonistischen Texte in Amerika unterzubringen[42] und rief die Schwester (ebenso streng wie ihren Bruder Golo) zur Ordnung, wenn diese wieder über das schwere Erbe jammerte, ein Kind Thomas Manns zu sein. »An den Familienfluch«, schrieb Elisabeth an Monika, »glaube ich nicht. Spüre ihn nicht. Es heißt, *after fourty, everyone is responsible for his own face*. Stimmt genau. Heißt auch: *For the relations with his family. To blame mommy and daddy for one's misfortune at the age of seventy is childish, that's all it is.*«[43]

Ihr fiel es leichter als all ihren Geschwistern, dies einzusehen: Sie lebte in der Gegenwart, nicht in der Vergangenheit.

Die UN-Seerechtskonferenz

Der Kampf für die Seerechtskonferenz der Vereinten Nationen beschäftigte Elisabeth vierzehn Jahre lang. 1968 hatte die Vorbereitung für diese Mammutveranstaltung begonnen, 1973 fand die offizielle Eröffnung statt, die erste wirkliche Arbeitssitzung dann 1974 im venezolanischen Caracas. Es war die längste und größte internationale Konferenz, die bis dahin jemals stattgefunden hatte. Jährlich setzten sich die knapp hundertsechzig beteiligten Staaten zu mindestens zwei Sitzungen an den Verhandlungstisch. Erst 1982 wurde die dritte »Seerechtskonvention der Vereinten Nationen« verabschiedet.[44]

Als Vorsitzende des Planning Council des »Internationalen Ozean-Instituts« genoß Elisabeth zwar den Status einer Beobachterin, was den Repräsentanten von »Non Governmental Organisations« zustand. Der Zugang blieb allerdings sehr eingeschränkt, die Beobachter durften nur an wenigen Sitzungen teilnehmen, und das, ohne das Wort zu ergreifen.

Daß die Zulassungsbestimmungen noch verschärft wurden, ging wohl auf Elisabeths Konto, vermutet sie heute. Im Namen des Ozean-Instituts habe sie auf der ersten Arbeitssitzung in Venezuela eine lange Rede gehalten. Arvid Pardo arbeitete inzwischen für die UNO und durfte nicht selbst sprechen. Also, sagt Elisabeth, »haben wir eine gemeinsame Rede geschrieben, die ich brav vorher dem Chairman zum Lesen gab. Der hat sie aber natürlich nicht gelesen.« Der hartnäckige Appell an die Industrieländer, nicht nur ihren wirtschaftlichen Interessen zu folgen, stieß nicht nur auf Begeisterung: »Die haben sich sehr geärgert, und die Russen waren erbost. Von da an wurden die ›Non Governmental Organisations‹ ziemlich streng verbannt.«

Elisabeth Mann Borgese und Arvid Pardo verband seit 1974 nicht nur die Passion für die Meere. »Er war die Inspiration der ganzen Sache, der Vater des Seerechts. Und in Caracas habe ich gemerkt, wie gern ich ihn habe.« Das gemeinsame Anliegen brachte die beiden einander näher, als es eine feste Lebensgemeinschaft getan hätte. Sie sahen sich zwei-, dreimal im Jahr, jeweils für einige Wochen: »Wir haben nie lange zusammengelebt, immer nur dann, wenn es wieder irgendeine Konferenz gab.« Pardo, spanisch-schwedischer Herkunft, groß, schwer, ein bißchen kahl und eher seiner hellen Mutter denn dem südländischen Vater ähnelnd (»gar nicht mein Herrentyp«), begeisterte Elisabeth ebenso wie fünfunddreißig Jahre zuvor Antonio Giuseppe Borgese. Wieder wuchsen ihre Gefühle aus Respekt und gemeinsamem Engagement. Sie bewunderte Pardos antifaschistische Haltung während des Zweiten

Weltkrieges und seine Leidenschaft für die Sache, der er sich nun verschrieben hatte: »Ich hätte schwer mit jemandem zusammenleben können, mit dem ich nicht die Arbeit teile. Das war alles für mich ein Ganzes.« Daß Pardo es nie über sich brachte, sich von seiner Ehefrau zu trennen, selbst, als die gemeinsamen Kinder groß waren, schmerzte Elisabeth wohl, doch sie nahm es ihm »nicht übel. Ich habe ihn nie gedrängt.«

Der Beobachterstatus der nichtstaatlichen Organisationen konnte Elisabeth natürlich keineswegs befriedigen. Sie strebte daher an, als Vertreterin einer zugelassenen Organisation offizielle Teilnehmerin der Konferenz zu werden. Obwohl sie amerikanische Staatsbürgerin war, kam die US-Delegation für sie nicht in Frage. »Die hätte mir nicht gut getan. Und ich ihr auch nicht.« Die Österreicher, mit deren Botschafter Karl Wolf Elisabeth befreundet war, zeigten sich jedoch hocherfreut über eine Verstärkung ihrer Drei-Mann-Delegation. Das neue Mitglied durfte aktiv mitarbeiten, Berichte schreiben und Unterkommissionen zuhören: »Da habe ich mein Seerecht gelernt.« Und so kam es, daß Österreich, offizieller Mitvorsitzender der Gruppe der Binnenstaaten, eine größere Rolle auf der Konferenz spielte.[45]

Während der siebziger Jahre belegte die Arbeit Elisabeth völlig mit Beschlag, und sie genoß es. Zu ihrer Tätigkeit am »Center for the Study of Democratic Institutions« kamen die Verpflichtungen für den Club of Rome, und parallel zu der fortlaufenden Seerechtskonferenz kümmerte sie sich um ihr Institut auf Malta. Für die jährlichen Konferenzen des Instituts Geld aufzutreiben blieb mühsam, Elisabeth entwickelte sich allerdings zu einer hartnäckigen und einfallsreichen Spendeneintreiberin. Manchmal übernahm die Regierung von Malta lokale Ausgaben, mal private Mäzene. Wenn es jedoch ganz eng wurde, griff Elisabeth auch zu ihren privaten Reserven: »Ich habe nie ein Programm fallenlassen, weil wir kein Geld dafür gehabt haben. Dann habe ich halt draufgezahlt.«

Als sich ihr Buch »Das Drama der Meere«, erschienen 1976 in Amerika, zum Bestseller entwickelte und als »Book of the month« allein in den USA 120 000mal verkaufte[46], investierte sie die gesamten Erlöse ins nächste Pacem-in-Maribus-Treffen: »Da hatte ich 200 000 Dollar. Genaugenommen habe ich das Buch in Hinsicht darauf geschrieben.«

Es dauerte sehr lange, bis die UN-Seerechtskonferenz Ergebnisse vorzuzeigen hatte, doch 1982 stand das Abkommen. 159 Staaten unterzechneten die Verfassung für die Meere. Die Vereinbarung legte fest, daß die Souveränität der Küstenstaaten auf zwölf Seemeilen, die ausschließlichen Nutzungsrechte auf 200 Seemeilen begrenzt waren. Die Hochsee galt als staatsfreier Raum. Der Tiefseeboden und seine Ressourcen wurden zum »Gemeinsamen Erbe der Menschheit« erklärt und einer Verwaltung und Kontrolle durch die Staatengemeinschaft unterstellt. Das bedeutete eine moralische Aufwertung der Meere, für die Industriestaaten allerdings eine inakzeptable, an Planwirtschaft erinnernde Einschränkung, so daß sie die Ratifizierung des Abkommens lange verschleppten. Bis heute haben die Vereinigten Staaten das Abkommen nicht unterzeichnet, die Deutschen, die sich für den Internationalen Seegerichtshof den Standort in Hamburg wünschten, ratifizierten schließlich 1994. Erst in diesem Jahr hatten auch die erforderlichen sechzig Länder die Seerechtskonvention ratifiziert. 1994, zwölf Jahre nach Abschluß des Abkommens, trat sie endlich in Kraft.

Bei allen Mängeln, die Elisabeth in der Seerechtskonvention erkannte, sah sie darin sicher zu Recht einen Triumph für Arvid Pardo und sich selbst. Sie hält sie noch heute für den Durchbruch, der Folgekonferenzen wie dem Umweltgipfel in Rio 1992 erst den Weg öffnete.[47] Nun war zwar nicht die Gesamtheit der zweiundsiebzig Prozent der Erdoberfläche, die von Wasser bedeckt ist, zum gemeinsamen Menschheitserbe erklärt worden, sondern nur der Tiefseeboden der Meere, und auch an der Einbindung der Ent-

Elisabeth als Streiterin für das Seerecht in New York

wicklungshilfeländer mußte in ihren Augen gearbeitet werden, doch ein Riesenschritt war geschafft. Unermüdlich trommelte sie deswegen auch während des Ratifizierungsprozesses für die Unterzeichnung, aktivierte alte Kontakte, schloß neue, rief persönlich Außenminister und Premierminister an. Inzwischen hatte sie sich, nicht zuletzt durch den Club of Rome, ein erlesenes Netzwerk mit Verbindungsstellen zu den Mächtigen der Welt aufgebaut, und sie scheute sich nicht, es zu nutzen. Und tatsächlich öffneten sich ihrem unbürokratischen Engagement viele Türen, die anderen vielleicht verschlossen geblieben wären. Es geht das Gerücht, daß einige Länder, wie die Seychellen, erst nach persönlichen Verhandlungen der Regierungen mit Elisabeth Mann Borgese bereit gewesen seien, die Konvention zu ratifizieren. In anderer Sache, einem plötzlichen Geistesblitz folgend, berichtet ein Freund, habe sie einmal aus einer Bar in Malta zu fortgeschrittener Stunde den Außenminister der Insel angerufen, weil nur der habe weiterhelfen können. Keine Stunde später sei er vor der Bar vorgefahren.

Experten würdigen Arvid Pardo als den Vater der Seerechtskonvention. Vielleicht könnte man Elisabeth Mann Borgese die Mutter dieser Verfassung der Meere nennen, still und hartnäckig im Hintergrund wirkend. Im Gegensatz zu vielen Gleichgesinnten ging es ihr aber nie ausschließlich um die Meere. Sie mochte die Liebe zum Wasser als romantisches Erbe ihres Vaters betrachten, den Erhalt der Ozeane als ehrenwertes Anliegen – und doch waren sie ihr nur Mittel zum Zweck. Ein Verrat an der Sache? Keineswegs. Sie hatte die Meere benutzt, um ihre politische und philosophische Vorstellung einer gerechteren Weltordnung durchzusetzen, in der es mehr um gemeinsame Verantwortung ging denn um den Profit einzelner, mehr um die Förderung der Dritten Welt denn um die wirtschaftliche Vormachtstellung der Industriestaaten. Sie betrachtete sich als Anwältin der Entwicklungsländer, und sie bekannte sich bei aller pragmatischen Kompromißbereitschaft zum Sozialismus. Im Laboratorium Weltmeere hatte sie versucht, ihre Vision von der Welt – und die ihres verstorbenen Mannes – zu verwirklichen, und in vielem hatte sie das Ziel erreicht.

VI Die letzte Mann

Auch als Achtzigjährige frappiert Elisabeth durch eine erstaunliche Energie. Ihre Vitalität verläßt sie offenbar selbst mit fortschreitendem Alter nicht, sondern nährt sich weiter aus einer unerschöpflichen Quelle, die andere Menschen oft zu früh versiegen lassen: den Aufgaben, die sie sich stellt.

Daran bestand nie Mangel. Eineinhalb Jahrzehnte lang hatte das Ringen um die UN-Seerechtskonvention sie in Atem gehalten, nach deren Unterzeichnung der fast ebenso mühsame Kampf um die Ratifizierung. In der Folge erfuhr auch das IOI, Elisabeths Internationales Ozean-Institut, eine Neubewertung. Hatte das Institut lediglich als Denkfabrik für die Bemühungen um die Meeresverfassung gedient, hätte ihm jetzt die Auflösung drohen können – das Ziel war schließlich erreicht. Seine Gründerin ließ dies nicht zu und strukturierte es rechtzeitig zu einer fortschrittlichen, praxisorientierten Zentrale um, die sich nun der Ausgestaltung und Erfüllung des juristischen Textes widmete. Und schließlich ergab sich für Elisabeth eine weitere Aufgabe, die sie sich in ihrer unkonventionellen Laufbahn nicht hätte träumen lassen.

Die späte Professorin

Eine empfindliche Balance zwischen Ehrgeiz und Bescheidenheit gehört sicherlich zu Elisabeths ureigensten Wesenszügen, und wenn sie sich etwas nicht hätte träumen lassen, hieß das nie, daß sie es sich nicht zugetraut hätte. Als sie in Santa Barbara von einer zeitlich begrenzten Gastprofessur hörte, die für die Dalhousie University in Halifax an der kanadischen Atlantikküste ausgeschrieben war, nominierte sie sich prompt selber. Das Institut ihres alten Freunds Robert Hutchins fiel nach fruchtbaren Jahren ohnehin allmählich in sich zusammen, und die erbittert umfochtene Nachfolge des verstorbenen Gründers schien alle Sachthemen zu verdrängen. Elisabeth verließ Kalifornien 1978 leichten Herzens. Sie war sechzig Jahre alt.

An Halifax, einem kleinen Universitätsstädtchen auf der Halbinsel Nova Scotia, reizte sie zweierlei. Zum einen war das luxuriöse »Fellowship« mit keinerlei Verpflichtungen verbunden, so daß sie, gut dotiert, nach Herzenslust studieren und schreiben konnte, zum anderen begann nur wenige Kilometer außerhalb des Ortes eine naturbelassene Wildnis mit Wäldern, Strand und Buchten, an deren glatten Felsen Heidekraut wuchs. Dort konnte sie direkt am Meer leben und fand nach kurzer Suche tatsächlich ein Holzhaus mit spitzem, bis zum Boden heruntergezogenem Dach, dessen Grundstück an eine fjordartige Bucht grenzte, nur eine halbe Autostunde von Halifax entfernt. Auf der einen Seite des Hauses sah man den grünen Zipfel einer kleinen Landzunge, nach vorne hatte sie den Blick auf das offene Meer. Mit diesem einsamen Haus an der Küstenstraße war es Liebe auf den ersten Blick, ähnlich wie ihr verlorenes Zuhause in Florenz, und Elisabeth empfand es durch seine geradezu symbolhafte Meereslage sofort als neues Heim. Vorerst war das Haus nur zu mieten, und als der Besitzer sie nach einem knappen Jahr bedauernd anrief, sie müsse nun bald hinaus,

Mit den Hunden vor ihrem Haus bei Halifax, Kanada 1996

da der Makler es jetzt verkauft habe, antwortete sie ihm gelassen, ja, verkauft schon, doch hinaus müsse sie deswegen keineswegs: Die neue Eigentümerin sei sie. Spätestens da, so Elisabeth, »haben die Kollegen an der Universität gemerkt, daß ich wahrscheinlich gerne bleiben möchte.«

Tatsächlich hatte sich ihr Vorgänger, ein Politikprofessor, in den Kopf gesetzt, die umtriebige Dame müsse seinen Lehrstuhl übernehmen. Doch Elisabeth hatte nie studiert und auch nie »im entferntesten daran gedacht, Universitätsprofessor zu werden«, und so exisitierte weder ein Curriculum Vitae noch eine Bibliographie ihrer Arbeiten. Überhaupt lag ihr Karriereplanung fern. »Das war mir immer wurscht, ich hatte Politikwissenschaft durch das Leben gelernt und immer viel geschrieben und veröffentlicht.« Ganz ohne akademische Präliminarien ging es denn aber doch nicht. Der alte Professor lud seine hoffnungsvolle Aspirantin zu einem Besuch auf seinen heimischen Balkon, wo er sie lange ausfragte und ihr danach »den schönsten Lebenslauf schrieb, den ich je gesehen habe«. Und im Jahr 1980, im Alter von zweiundsechzig Jahren, wenn andere schon begehrlich nach dem Ruhestand äugen, trat Elisabeth ihre Professur für Internationales Seerecht an der Politischen Fakultät der Dalhousie University an.

Daß sie ausgerechnet Halifax, einen unbedeutenden Flecken an der rauhen kanadischen Ostküste, zu ihrer neuen Heimstatt erkoren hatte, nimmt einigermaßen wunder. In Amerika hatte sie nie ein geistiges Zuhause gefunden, dort so wenig Habe gesammelt, daß sie jederzeit hätte aufbrechen können, doch zog sie denn nichts zurück nach Europa? Anscheinend nicht. Dort lebten zwar noch ihre beiden Geschwister Golo und Monika und ihre Tochter Dominica, Angelica arbeitete als Physikerin in New York. Reisen über den Ozean, von Kontinent zu Kontinent, empfand Elisabeth mithin längst als Selbstverständlichkeit. Und vielleicht verändert sich der Heimatbegriff ohnehin, wenn man zweimal in seinem Leben emigriert ist.

Zu Hause war sie dort, wo sie Platz für ihre vier englischen Setter und ihre Unterlagen hatte, und Halifax erschien ihr als »der beste Platz, den man finden kann, um an Meeresangelegenheiten zu arbeiten. Alles schaut aufs Meer.«[1] In Kanada fühlte sie sich wohl, auf Anhieb, und vieles erinnerte sie an die geliebte Schweiz: die Rolle als kleines Land neben dem größeren, mächtigeren Nachbarn, das Fehlen von Supermacht-Ambitionen. Sobald sie die kanadische Staatsbürgerschaft erhalten konnte, gab sie zur Verwunderung der Amerikaner ihre amerikanische zurück: »Die haben mich noch aufs Konsulat gerufen und gesagt: ›Sie wissen doch wohl, daß Sie beide Staatsbürgerschaften haben können?‹«[2] Wollte sie aber nicht.

Vor den Studenten, gesteht sie, habe sie sich als frischgebakkene Dozentin anfangs »sehr gefürchtet. Ich dachte, die wissen ja viel mehr als ich ... Wie lange wird es brauchen, bis sie das merken?« Tatsächlich aber bescheinigten ihr Kollegen ein Talent zum Unterrichten, und der erste Ehrendoktor befreite sie schließlich auch aus der als mißlich empfundenen Lage einer unfreiwilligen Hochstaplerin: »Seit ich in Santa Barbara mit dem Publizieren angefangen hatte, erreichten mich immer wieder Briefe an Dr. Borgese. Jeden beantwortete ich richtigstellend, es handle sich um Mrs. Borgese. Bis es mir eines Tages zu dumm wurde und ich beschloß, Gott, wenn die Welt will, daß ich Doktor bin, dann bin ich es. Also hörte ich auf zu dementieren. Aber bis zum Ehrentitel hatte ich immer ein schlechtes Gewissen.« Insgesamt fünf Ehrendoktorhüte schmücken sie heute, »drei kanadische, ein japanischer, ein rumänischer«, kein schlechtes Ergebnis für ein Frau, die angeblich »gute zweite Klasse« war, wie Thomas und Katia Mann die Töchter gefoppt hatten. »Mein Papa allerdings hatte sechzehn. Da müßte ich mich beeilen.«

Sobald sie ihre Scheu vor dem Unterrichten abgelegt hatte, nützte Elisabeth die Gelegenheit, ihre sozial-philosophischen Anliegen in konkreten Lehrinhalten zu verpacken. Ihre Lehrmethode entsprach ihrer gewohnten Arbeitsweise. Nie war sie eine Theoretikerin gewesen, und sie wurde auch an der Universität keine. Im Vordergrund standen für sie der interdisziplinäre Zugang und der Versuch, ihren Studenten zu vermitteln, daß alles miteinander zusammenhänge und die Dinge nicht isoliert zu betrachten seien, Umweltverschmutzung nicht ohne verantwortungsvolle Entwicklungspolitik, industrielle Technisierung nicht ohne buchstabengetreues Seerecht. Im übrigen vertraute sie ihrer praktischen Erfahrung in der direkten Anwendung des politiktheoretischen Wissens, das die Studenten ihr unter Umständen voraushatten; die nächste Generation, glaubte und glaubt Elisabeth, die heute immer mehr

Ehrendoktorwürde der Yokohama City University

junge Leute zu ihren Freunden zählt, könne dies von der älteren lernen. Als Professorin vor der Klasse zu stehen und Vorträge zu halten langweilte sie. Stattdessen ermunterte sie die Studenten zu Fragen und Diskussionen, was diese ebenso begeisterte wie ihre eher nachlässige Einstellung zu Prüfungen: »Das ist doch eine irrsinnige Zeitverschwendung. Und ich habe ja auch nur ein Musikdiplom.«

Während der achtziger und neunziger Jahre gelang es Elisabeth, parallel die inhaltliche Ausgestaltung der Seerechtskonvention, ihre Professur in Halifax und den Ausbau des Ozean-Instituts zu verfolgen. Wenn, so dachte Elisabeth, die Entwicklungsländer im Seerecht nicht in dem Maße berücksichtigt worden waren, wie es ihrer Überzeugung nach notwendig war, würde sie eben einen eigenen Beitrag dazu leisten.

Seit 1980, als das Ozean-Institut bereits acht Jahre bestand, bekam es damit inhaltlich eine völlig neue Aufgabe, für die es zudem wachsen mußte. Zunächst hatte Elisabeth in Halifax den ersten Ableger der Zentrale in Malta eingerichtet. Später folgten Dependencen auf der ganzen Welt, in der Karibik, dem Südpazifik, Indien, Afrika. Das IOI begann, Kurse und Trainingsprogramme über neue Technologien und Forschung abzuhalten. Auch hierbei ließ sich Elisabeth von ihrer alten Devise leiten, daß man vor allem die Zusammenhänge der Dinge vermitteln müsse. »Das haben wir in den letzten zwanzig Jahren doch erkannt, daß man Umweltschutz nicht ohne Berücksichtigung der Industrie betreiben kann. Und alle Probleme, die uns heute beschäftigen, lassen sich am besten auf regionaler Ebene lösen.« Der Gedanke, Entwicklungsländern regional begrenzte Starthilfe und Beratung, sogar bis in die Regierung hinein, anzubieten, überzeugte auch die Vereinten Nationen. Sie förderten die Trainingsprogramme mit einer großzügigen Summe. Inzwischen bestehen zwölf Center rund um die Welt. Aus der anfänglichen Handvoll Mitarbeiter ist ein Kreis von fünfzig Angestellten geworden. Entsprechend gewachsen sind auch die laufenden Kosten des Instituts: von jährlich 30 000 Dollar auf, wie Elisabeth schätzt, vier Millionen. Das Geld kommt von Sponsoren wie der United Nations University, der UNESCO, von privaten Stiftungen. Um das Auftreiben der finanziellen Mittel kümmerte sich Elisabeth von Anfang an und unermüdlich, mit Briefen, Anrufen, persönlichen Appellen.

Als Elisabeth Kurse für die Dalhousie-Universität mit Seminaren für das IOI zusammenzulegen begann, die eigens für Studenten aus Entwicklungsländern angeboten wurden, erfuhr das Ozean-Institut eine weitere Aufwertung. Es konnte auch Teilnehmer aufnehmen, die an den strengen Qualifizierungshürden von Dalhousie gescheitert wären; eine große Genugtuung für eine Dozentin, die auf akademische Regeln gerne verzichtete. Mittlerweile werden sämtliche Kurse, die das Ozean-Institut und assoziierte Universitäten oder Einrichtungen veranstalten, nicht mehr mit einem schlichten Teilnahmeschein zertifiziert, sondern zu einem interdisziplinären Abschluß zusammengefaßt. Zwei der Kurse gibt Elisabeth Mann Borgese in Halifax immer noch persönlich, obgleich als Professorin inzwischen emeritiert. Die Altersgrenze hat sie »längst überschritten«. Ihre Studenten, die sie »Lady of the Oceans« nennen, wollen sie offenbar immer noch hören. Der Unterricht ist stets gut besucht.

Wieder Abschied

Elisabeth Mann Borgese hatte also Reputation erreicht, unabhängig vom Glanz des großen Vaters, dessen Name in Nordamerika ohnehin nicht die ehrfurchterregende Wirkung zeitigte wie in Deutschland. In der Welt der Vereinten Nationen, des Club of Rome und des Ozean-Instituts war sie die Berühmtheit; erwähnte jemand einmal ihre Abstammung, amüsiert sie sich heute, »machte es wenig Eindruck«.

In Deutschland hingegen stand ihre Bekanntheit weit hinter der ihres Bruders Golo zurück, der zu einem der einflußreichsten deutschen Historiker geworden war. Seit dem Tod Katias lebte er alleine in dem großen Haus in Kilchberg. Anders als er trat Elisabeth weder durch Stellungnahmen zur deutschen Innenpolitik

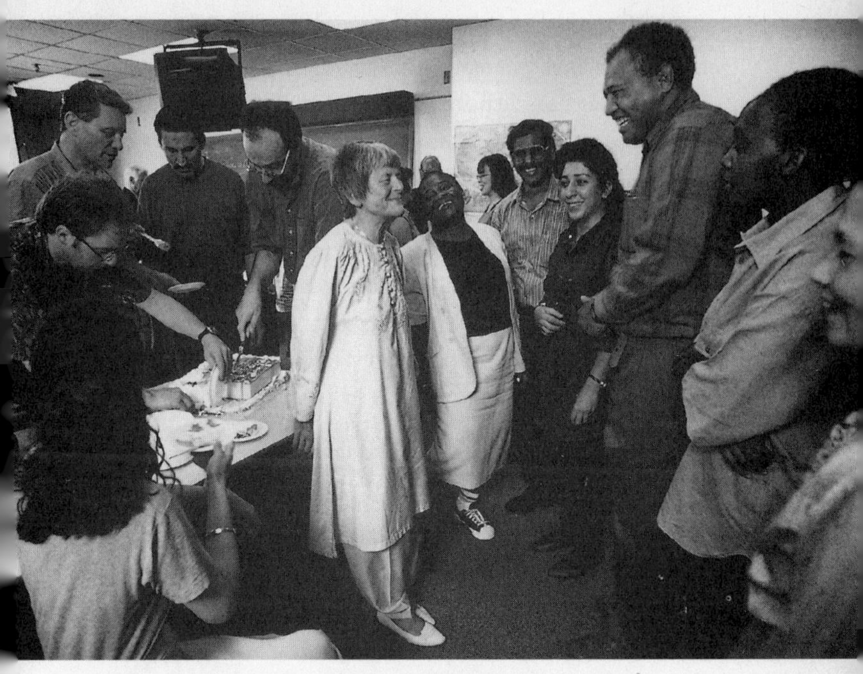

Die Professorin mit Studenten an der Dalhousie University, Halifax

noch durch öffentliches Repräsentieren der Familieninteressen in Erscheinung, vor allem letzteres überließ sie gerne ihrem Bruder. Politisch hatte sie sich weit von dem konservativen Wissenschaftler Golo entfernt. Namentlich ihrer Meinung, der Sozialismus sei »praktisch ziemlich unannehmbar, in der Theorie aber doch wenigstens mit gutem Ziel«, konnte sich Golo nicht anschließen. Dennoch hatten sie sich humorvoll auf die Formel »We agree to disagree« geeinigt; Elisabeth hielt Golo »für den vielleicht intelligentesten Menschen«[3], den sie kannte, und er wiederum respektierte ihre Bemühungen zur Weltverbesserung mit skeptischer Sympathie. In den siebziger Jahren zwang die viel unternehmungslustigere Schwester ihren Bruder geradezu, sie auf eine

Reise in die damalige DDR zu begleiten, zu der ostdeutsche Kollegen der Seerechtskonferenz sie eingeladen hatten. Dort versuchte sie, Golo, »der natürlich irrsinnig anti-DDR war«, die Errungenschaften des Sozialismus schmackhaft zu machen. Und errang zumindest einen Teilerfolg: Vom Diskussionsniveau der Professoren, vor denen er einen Vortrag hielt, zeigte sich Golo ebenso beeindruckt wie vom Abstecher ins Goethe-Haus nach Weimar, doch schon vom angeblich auffällig unarroganten Ton der Menschen untereinander war er nicht so überzeugt wie seine Schwester, und kurz nach der Rückkehr in den Westen, so Elisabeth enttäuscht, »hatte er das schöne Erlebnis vergessen«.

Das Verhältnis der Geschwister blieb eng. Beide hatten sie von der Mutter die pragmatische Bodenständigkeit geerbt und unterschieden sich darin von den manchmal prätentiös abgehobenen Geschwistern, wenngleich Golo dadurch nicht vor der Neigung zu Schwermut bewahrt blieb. Permanent als Adressat Mannscher Familienbelange fungieren zu müssen, zwang ihn, im Schatten des Vaters zu verharren. Seiner Stimmung wenig zuträglich war auch der Entschluß Monikas, sich nach dem Tod ihres italienischen Lebensgefährten von Capri zu verabschieden und nach Kilchberg zu ziehen. Anders als Elisabeth, die sich schon räumlich geschickt solchen Verpflichtungen entzogen hatte, fühlte er sich für die Schwester verantwortlich. »Momentan bin ich stark deprimiert«, schrieb der Gequälte in einem Brief 1988, »weil meine Schwester Monika nun endlich und offenbar wirklich im Begriffe ist, in den obersten Stock meines Hauses einzuziehen. Das kann nicht gut ausgehen, denn ich will mit ihr durchaus nicht leben. ›Seine Geschwister erleidet man, seine Freunde sucht man sich aus...‹«[4]

Beiden, Monika und Golo, blieb nicht mehr viel Zeit. Monika Mann starb im März 1992 in Leverkusen, Golo zwei Jahre später. Auch er hatte sich spät nach Leverkusen in die Obhut der Familie seines Adoptivsohns begeben, in eine Nähe, die ihm nach Ansicht

Elisabeths nicht guttat. Während der letzten vier, fünf Jahre sei es mit Golo deutlich bergab gegangen. Je älter er wurde, desto bitterer wurde er auch, vor allem was die Familie betraf, in die hineingeboren zu sein er als schwere Last für sein ganzes Leben empfand. Ein einsamer, trauriger Ton bestimmt seine 1986 erschienenen Erinnerungen. Golos Geist, so Elisabeth, sei zuletzt derart verwirrt gewesen, daß man ihn nicht mehr recht als zurechnungsfähig habe bezeichnen können: »Das hat man natürlich vertuscht, und das war mir auch nicht so klar.«[5] Während der letzten Jahre habe sie kaum mehr Kontakt zu ihm gehabt, was Elisabeth vor allem darauf zurückführt, daß die Pflegefamilie in Leverkusen Golos selbstgewählte Isolation eher zu fördern schien. »Man kam nicht mehr an ihn heran. Er hat ein sehr trauriges Ende gehabt.« Als einziger liegt Golo heute nicht im Familiengrab bei seinen Eltern und Geschwistern. Als sträube er sich auch noch nach dem Tod gegen die Nähe zu seinem Vater, ruht er am anderen Ende des Kilchberger Friedhofs, allein, in einem eigenen Grab.

Als Golo mit fünfundachtzig Jahren im April 1994 in Leverkusen starb, traf die Nachricht Elisabeth wie ein Schock. Er war alt geworden, sicher, und auf sein Ableben hatte man gefaßt sein müssen, doch der Verlust ihres letzten Geschwisters erschütterte sie stärker als erwartet. Elisabeth war nun sechsundsiebzig Jahre alt. Alle Angehörigen ihrer engsten Familie waren gestorben: ihr Bruder Klaus früh, zu früh, von eigener Hand auch Michael. Längst tot waren ihr Vater Thomas Mann, ihre Schwestern Erika und Monika, gestorben ihre Mutter Katia. Golos Tod machte Elisabeth zur letzten Mann ihrer Generation.

Das Gefühl, als einzige übriggeblieben zu sein, bedrückte und bekümmerte sie. Niemand war mehr da, der mit ihr die Erinnerungen an das morgendliche Frühstück der Kinder auf der oberen Diele im Haus an der Münchener Poschingerstraße teilte, niemand, der mit ihr an die Vorlesestunden des Vaters im ehrfurchtgebietenden

Arbeitszimmer gedacht oder über die drollige Verschnurrtheit von Katia, über Monis Beleidigtsein und Klaus' alte Nummer vom »durstigen Damenschnappen« gelacht hätte. Golo hatte das kleine Mädchen mit dem skurrilen »Voltairegrinsen« erschreckt, er war mit ihr auf dem Dampfer über den Bodensee geflüchtet und hatte ihr im Exil in Südfrankreich den »Wallenstein« erklärt, mit Michael war sie erwachsen geworden, über Erika hatte sie Giuseppe Antonio Borgese kennengelernt. Keiner würde sie mehr »Medi« nennen, von »der Eri« oder »dem Bibi« erzählen. Nun war niemand mehr da.

Wenn Elisabeth über ihr Leben und das ihrer Geschwister nachdenkt, will ihr scheinen, als sei ihr Schicksal »wohl das glücklichste gewesen«, und der Gedanke schmerzt. Sie spricht nicht gern darüber. Schützte sie der Mangel an hochfahrenden Erwartungen, die Aufgaben, die aus dem Schatten des Vaters führten, das Glück, Bitterkeit nicht kennengelernt zu haben? »Ich bin auch kein ganz sonniges Temperament. Mir fiel vieles schwer. Aber letztlich habe ich wohl immer mehr meiner Mutter nachgeschlagen.« Besser geerdet, stabiler als die anderen seien sie beide gewesen: »Meine Mutter hat ein einmalig harmonisches Leben geführt, und kein Schmerz hat sie aus dem Gleichgewicht gebracht. Sie hatte ihr Leben lang einen Mann und ihr Leben lang eine Mission. Die Probleme, die ich hatte, kannte sie eben nicht.« Ein solch harmonisches Leben wie ihre Mutter habe sie selber nie gehabt, sagt Elisabeth, und sie kann das schwierigere Erbe ihres Vaters nicht verleugnen. In ihren Novellen schlägt sie vielleicht am meisten nach ihm, düster und grüblerisch. Einmal sagte sie in einem Interview: »Ich lasse mich gehen, zum Pessimismus, wenn ich Novellen schreibe. Er auch. In seinen Romanen, da hat er sich gehen lassen.«[6] Im Leben hat sie es sich ebensowenig gestattet wie er.

»Keiner muß allein leben«, fand Elisabeth immer, und wenn sie es vermeiden konnte, tat sie es auch nicht. Vor Einsamkeit fürchtete sie sich nie, davor bewahrten sie die Arbeit, die Hunde, die vielen Bekannten, Freunde, Meeres-Kollegen; sie mochte es aber nicht, mit niemandem ihr Haus, ein schönes Klavierstück, ein gutes Abendessen teilen zu können. Treffen mit den Töchtern mußten langfristig geplant und mit Terminen in Europa koordiniert werden, und Angelica und Dominica konnten ihrerseits mit den drei Enkelkindern – Michele und Natalia von Angelica sowie Dominicas adoptierte Tochter Marta – schlecht auf einen spontanen Besuch aus New York beziehungsweise Mailand vorbeikommen.

Zu Besuch bei einem Entwicklungshilfeprojekt in Indien

Doch auch in der kanadischen Abgeschiedenheit blieb Elisabeth nicht allein. Bald nach ihrer Ankunft hatte sie einen Jungen aus der Nachbarschaft in ihrem Haus als Pflegesohn aufgenommen, der jahrelang bei ihr lebte. Als Marcel später selber eine Familie gründete, nannte sie seine Söhne ihre Adoptivenkel. Da sie selber nicht die Zeit fand, ihre vier, phasenweise aber auch mehr Setter ausreichend zu bewegen, zu füttern, mit ihnen zu spielen, brauchte die immer noch passionierte Hundenärrin außerdem jemanden, der sich während ihrer Abwesenheit um die Tiere kümmerte, und bot meist jungen Studenten die Möglichkeit, diese Aufgabe gegen Kost und Logis zu übernehmen. Zwischen der alten Dame mit dem Hundespleen, die permanent rund um die Welt unterwegs war, um für die Erhaltung und friedliche Nutzung der Meere zu kämpfen, und ihren jugendlichen Hausgenossen ergab sich manche Freundschaft. Zu ihren Wohngenossen zählte auch Nikolaus Gelpke. Der damals achtzehnjährige Deutsche lernte Elisabeth in den achtziger Jahren als ihr »Dogsitter«, oder, in ihrem Sprachgebrauch, als »Hundeherr« kennen und fand offenbar unter ihrem Einfluß seine Berufung: Knapp zwanzig Jahre später leitet Gelpke, den Elisabeth zärtlich ihren Sohn nennt, heute das deutsche Ozean-Magazin »Mare«. Er sitzt im Vorstand des Internationalen Ozean-Instituts und gehört zu ihren engsten Freunden und Vertrauten.

Ohne die Assistenz eines »Hundefräuleins« kommt Elisabeth auch heute nicht aus. Die englischen Setter dominieren den Haushalt wie verwöhnte Kinder. Sofa und Sessel sind grundsätzlich ihnen vorbehalten, und nur wichtigem Besuch zu Ehren – aber wer ist schon wichtig? – vertauscht die Hausherrin die strapazierten Alltagskissen mit sogenannten Menschenkissen. Fast allabendlich, nach dem Essen, erteilt sie ihren vierbeinigen Schülern nach wie vor Klavierstunde auf dem sonderbaren Spezialinstrument im kleinen Zimmer neben dem Wohnraum. Den tierischen Freudenbezeugungen nach können die Hunde den Unterricht kaum erwarten.

Dies finden manche exzentrisch, etwa der amerikanische Schriftsteller John Irving, der eine Begegnung mit der alten Dame auf einem Flug von Toronto nach Paris in einer amüsanten Erzählung festhielt.[7] Irving berichtet, er sei neben ihr gesessen und sofort von ihrem scharfgeschnittenen Profil und der kultivierten Art, den Schottischen Whiskey zu genießen, gebannt gewesen, ohne freilich die zurückhaltende Lady zu erkennen. Ohnehin beeindruckt, so Irving selbstironisch, habe sie ihn zunächst mit der Information verunsichert, in Sachen Ozeane unterwegs zu sein, wogegen er mit seinen ihr unbekannten Bestsellerromanen nicht konkurrieren zu können glaubte; den erfolgreichen Schriftsteller habe sie dann zudem mit der beiläufigen Mitteilung eingeschüchtert, die Tochter Thomas Manns zu sein. Vollends fassungslos hinterließen ihn allerdings ihre Anekdoten über die klavierspielenden Hunde, mit denen er dann später bei Freunden wie Günter Grass Eindruck schindete. Und mit Recht: Wer hat schon von der Tochter Thomas Manns eine Kassette geschickt bekommen, auf der rauschend, aber vernehmlich ihr Setterrüde Claudio mit seiner Schnauze die Töne eines Menuetts von Mozart erklingen läßt?

John Irving reiht sich in den illustren Kreis von Elisabeths berühmten Freunden und Bekannten ein, zu denen Persönlichkeiten wie Vladimir Horowitz, Jacques Cousteau, Indira Ghandi, Boutros Boutros Ghali gehören, unzählige aus Regierungskreisen rund um die Welt sowie dem Club of Rome ungenannt. Diese Beziehungen nutzte Elisabeth zwar durchaus, um Fortschritte in Meeresangelegenheiten zu erzielen, allerdings ohne sich von Berühmtheit je korrumpieren zu lassen. Snobismus blieb ihr stets so zuwider wie devote Ergebenheit, und Nikolaus Gelpke erzählt noch heute begeistert, wie sie ihm einmal begründet habe, »warum sie Stefan Zweig nie mochte«: Der sei auf dem Weg zum Auto, mit dem die heranwachsende Medi die Gäste des Vaters nach Zürich zu bringen pflegte, im Küsnachter Garten ausgeglitten, unverletzt wieder aufgestanden und habe beim Abklopfen der Hose demütig behauptet: »Es wäre mir eine Ehre gewesen, mir im Garten des Meisters ein Bein zu brechen.« Zu oft hat sie seither erlebt, wie jemand mit der Anwesenheit von »Thomas Manns Tochter« seine Einladung schmücken wollte, und die besondere Aufmerksamkeit, die ihr dadurch zuteil wurde, amüsierte und irritierte sie gleichermaßen.

Seit Golos Tod übernahm Elisabeth als letztes lebendes Kind des Dichters die Rolle des Familienoberhaupts. Ein gewisses Unbehagen gegen öffentliche Auftritte in derart persönlicher Sache war der zurückhaltenden alten Dame in manchen Interviews anzumerken, Erbe einer Erziehung, nach der man Privates nicht nach außen trägt. Gegen die mit den Jahren dominierende Auffassung, Thomas Mann möge ja ein genialer Schriftsteller gewesen sein, habe aber als eiskalter Vater seine sensiblen Kinder in Liebesmangel und Verachtung erfrieren lassen und seine im Hintergrund agierende Frau um ihr Lebensglück gebracht, legt Elisabeth immer vehementer und aufgebrachter Widerspruch ein: »Es ist ja keiner mehr da, der es sonst tun könnte.« Wenn sie sich auch nicht zu sehr in die Herausgabe der Werke Thomas Manns mischen möchte, plädiert sie doch für eine zweite, gestraffte Ausgabe der Tagebücher anstelle der umfangreichen Gesamtausgabe von zehn dikken Wälzern. Solch eine gekürzte Fassung hatte ihr Bruder Michael vor seinem Tod im Auge, und sie sähe sein Vermächtnis gerne als Grundlage hierfür verwendet.

In Deutschland kenne sie keiner, glaubte Elisabeth noch vor Jahren, heute wenden sich Germanisten, Filmemacher, Journalisten an sie, wenn man eine Zeitzeugin und letzte Stimme aus der Vergangenheit des Hauses Mann braucht. Sie spielt mit, meistens, und spottet sachte darüber, wenn sie ihrer Freundin und Schwäge-

Elisabeth in Holland 1998, links Königin Beatrix

rin Gret von einer neuen Ehrenreise in die alte Heimat berichtet. »Die Reliquie wird wieder herumgereicht.«

Man kann wissen, wer man ist, und dennoch mit der gleichen Geselligkeit mal berühmte Ozeanologen, Botschafter, mal Studenten, Familienmitglieder oder das Aushilfs-Hundefräulein aus der Nachbarschaft samt seinen Freundinnen an seinem blanken Holztisch in Halifax bewirten. Elisabeths Essenseinladungen sind begehrt, und seit ihrer Ehe kocht sie, gut und experimentell: »Ich verwöhne gerne: Kinder, Hunde und Männer.« Über dem Herd baumelnde Töpfe, ein Dutzend gut gefüllter Glasbehälter mit Mehl, Zucker, Gewürzen, der Kühlschrank voller Gemüse, Eier, Käse zeugen davon, daß diese offene Küche jeden Abend genutzt wird, wobei sich die Hausherrin oft exotischer Rezepte von ihren Reisen in ferne Länder bedient. Die Gerichte markieren Stationen ihres Lebens. Wie man ein scharfes, nicht zu flüssiges Linsen-Dal mit Mango-Chutney bereitet, haben ihr vor bald vierzig Jahren südindische Elefantentreiber beigebracht, das Pizza-Rezept stammt von Miss Balsamo, der alten Verehrerin von Giuseppe Antonio Borgese, und in der Schweiz lernte sie, daß das Geheimnis eines perfekten Käsefondues in einem guten Schuß Kirschwasser liegt. Inzwischen ist Elisabeth Vegetarierin, verzichtet auf Fleisch, weitgehend auch auf Fisch, macht aber bei Hummer und Bouillabaisse eine Ausnahme. Für edlen Wein hat sie viel übrig, nichts aber übertrifft ihr Vergnügen an gutem Whisky, alt, schottisch, Single Malt.

Elisabeth hat Sinn für den überstrapazierten Begriff von Einfachheit, die Schönheit eines Sonnenuntergangs über der flammenden Bucht, von der Zuschauerloge ihres hölzernen Balkons aus betrachtet, Musik von J.S. Bach, interpretiert von Glenn Gould, die Aussicht übers Meer von ihrem Arbeitszimmer im ersten Stock. Dort sitzt sie fast täglich an ihrem Flügel und spielt Schubert oder Mozart.

Viel Zeit bleibt ihr zum Trainieren der alten Fingerfertigkeit nicht. Immer noch steht Elisabeth morgens um fünf Uhr auf. Dann stellt sie den Computer an, dessen Finessen samt Internet sie schon seit Jahren beherrscht, erledigt bei einem starken Espresso ihre per E-mail eingegangene Post, telefoniert vielleicht mit dem Ozean-Institut auf Malta, später mit ihrem Assistenten wegen einer Meeres-Konferenz in Asien. Sie beendet den Aufsatz für ein Wissenschaftsmagazin, bereitet ein Seminar vor, liest Arbeiten von Studenten durch, übersetzt eine ihrer alten Novellen aus dem Englischen ins Deutsche, fängt an, eine neue Geschichte zu schreiben. Jeden Mittag, außer im Winter, schwimmt sie draußen eine knappe Stunde im beheizten Pool, abends um sechs gönnt sie sich vor dem Abendessen einen Whisky und hört dabei klassische Musik. Die Regelmäßigkeit ihres Tagesablaufs erinnert an das Routinebedürfnis Thomas Manns.

Die Lust am Schreiben kehrte erst spät wieder. Doch gegen das Erbe der Familie hat sie sich nicht etwa gesträubt, ihr Leben bot nur einfach keinen Platz dafür. Lange waren ihre Novellen in Deutschland vergriffen, und erst, nachdem sie zu ihrem achtzigsten Geburtstag neu aufgelegt worden waren, fing Elisabeth wieder mit dem Schreiben an, zum ersten Mal nun auf deutsch. Ihre Einschätzung der Weltlage hat sich im Lauf der Jahrzehnte augenscheinlich kaum zum Positiven gewandelt, und individuelle Probleme interessieren sie immer noch nicht. Auch der zweite Band ihrer Erzählungen[8] zeichnet eine düstere Sicht auf die technologischen und zivilisatorischen Entwicklungen einer Gesellschaft, die sich mit den Mitteln des Fortschritts zum Herrn über das Schicksal aufzuschwingen versucht – und daran scheitert.

In »Vogelmenschen« kreieren Wissenschaftler einen fliegenden Menschen mit vogelartigen Zügen. Stau und Verkehrsinfarkte gehören im Zeitalter des neuen Menschen der Vergangenheit an, doch die echten Vögel der Tierwelt wehren sich gegen die menschlichen »Meister der eigenen Evolution« und führen sie als Lotsen der Luft ins Verderben. In »Molly« leidet das gleichnamige Mädchen unter der beängstigenden Ähnlichkeit mit ihrer Mutter, die sich ihr Töchterchen hatte klonen lassen. Der Mangel einer eigenen Identität quält das Mädchen ebenso wie die üble Krankheit, vorzeitig zu altern; Molly übernimmt bald die verquere Rolle ihrer eigenen Mutter und muß zusehen, wie diese, vergleichsweise jugendfrisch, Mollys große Liebe für sich gewinnen kann. Ein böses Ende nimmt auch »Die Parabel von der Zeitbombe«. Das wissenschaftliche Genie Astone entwickelt eine biologische Uhr, mit deren Hilfe ganze Generationen ihre Lebensspanne innerhalb eines Tages vollenden können, ohne dies überhaupt zu merken. Damit gewinnt Astone zwar den Nobelpreis und erlangt die Möglichkeit, kriegszerstörte Länder vorgeblich humanitär von bösgesinnten Herrschern zu befreien, indem sie innerhalb eines Tages eliminiert werden, aber er kommt auch zu der Erkenntnis, der massivsten Form von Genozid Vorschub geleistet zu haben. Zu spät: die Uhren verselbständigen sich und löschen einen Großteil der Menschheit mit einem Virus aus. Nur die Entwicklungsländer kommen gut davon, sie waren glücklicherweise zu arm, diese Technik einzuführen.

Biographische Referenzen, wie auch schon in den frühen Novellen, finden sich in Elisabeths Texten immer wieder. Eine üble Figur trägt den Namen des Tobias Mindernickel aus der gleichnamigen Erzählung von Thomas Mann, dort quälte er einen Hund, hier dreht er einem Vogel den Hals um. In der »Parabel von der Zeitbombe« erzählt Elisabeth von ihrer eigenen frühesten Kindheitserinnerung. Die Uhr, die den Forscher Astone auf die Idee zur »Zeitbombe« bringt, ist eine Pendeluhr, deren Hin und Her ihn an den Tod seiner Großmutter gemahnt, und wie einst die kleine Elisabeth auf den Knien des Vaters lauscht auch die literarische Figur den betrübten Reden der Erwachsenen, während vor dem inneren Auge die Lieblingspuppe hin- und herpendelte, »tick-tack, und dann hörte sie auf zu pendeln und brach auf dem Boden zusammen. Das war seine Vorstellung von Bewegung und Zeit und Tod.«

Der Tod hat wenig Schreckendes für Elisabeth. An ein individuelles Weiterleben glaubt sie allerdings nicht, eher an das Erhaltenbleiben von Energie, wie es asiatische Religionen lehren. Und trotz aller Düsterkeit prägt der Glaube an das geheimnisvolle Walten unbekannter Kräfte ihre Erzählungen, die sie nicht für nihilistisch hält. »Ich glaube doch an sehr viel, auch an mehr Beeinflußbarkeit, als man wissenschaftlich beweisen kann. Ich glaube an Telepathie und könnte mir vorstellen, daß an Voodoo etwas dran ist. Und ich glaube an die Kraft und die Ausstrahlung von Menschen.«

Sie hat sie selber erlebt, und sie hat dank ihrer Energie im Leben viel erreicht. Vielleicht, weil sie nie die eigene Persönlichkeit zum Fixpunkt ihres Denkens gemacht und sich nicht in peinvoller Selbstreflexion verloren hat. Dabei habe sie Berufliches und Privates, sagt sie, »nie voneinander trennen können. Alles hängt zusammen«; der Glaube an die Weltverfassung, soziale Gerechtigkeit und kleine Gemeinschaften, die skeptischen Novellen, Liebe und die gemeinsame Aufgabe, die Meere, und wahrscheinlich auch der Umgang mit den Tieren. Sie sei auf kurze Sicht pessimistisch, auf längere Sicht aber immer optimistisch, und ihre Lebensgeschichte habe ihr recht gegeben: »Ich war als Zwölfjährige begeistert vom Europa-Gedanken, aus purem Idealismus. Und wie weit ist es heute! Das erzähle ich immer meinen Studenten. Die Realisten von heute sind morgen tot. Und die Utopisten von heute sind die Realisten von morgen.«

Anmerkungen

I Kindheit im Haus des Zauberers

1 So über Lorchen, Elisabeths Alter ego, in: Unordnung und frühes Leid, TM, Die Erzählungen, S. 757
2 Tagebuch TM, 22.4.1919
3 TM an Ida Boy-Ed, nach Harpprecht, S. 448
4 Unveröffentlichter Brief an Paul Amann, 11.7.1918, nach Kurzke, S. 319
5 Unordnung und frühes Leid, TM, Die Erzählungen, S. 757
6 TM an Boy-Ed, nach Harpprecht, S. 448
7 Unordnung und frühes Leid, TM, Die Erzählungen, S. 758
8 Katia Mann, Memoiren, S. 33
9 Gesang vom Kindchen, TM, Die Erzählungen, S. 693
10 nach Kurzke, S. 288 f.
11 Katia Mann, Memoiren, S. 132
12 TM an Walter Opitz, Briefe I, S. 40
13 Harpprecht, S. 214
14 Nirgendwo plausibler beschrieben als bei Kurzke
15 nach Wysling, S. 36
16 TM an Heinrich, 23.12.1904, nach Kurzke, S. 129
17 nach Kurzke, S. 157
18 Katia Mann, Memoiren, S. 14
19 Katia Mann, Memoiren, S. 18
20 Gesang vom Kindchen, TM, Die Erzählungen, S. 719
21 Katia Mann, Memoiren, S. 24
22 TM an Heinrich, 27.2.1904, nach Kurzke, S. 161
23 Katia Mann, Memoiren, S. 30
24 Harpprecht, S. 213
25 Kurzke, S. 156
26 Erika Mann, Mein Vater, S. 394
27 TM an Katia, Juni 1904, Briefe I, S. 45 f.
28 TM an Katia, April 1904, Briefe I, S. 43
29 nach Kurzke, S. 159
30 TM an Katia, September 1904, Briefe I, S. 56
31 TM, Über mich selbst, S. 181
32 Klaus Mann, Der Wendepunkt, S. 75
33 Tagebuch TM, 28.9.1918
34 Erika und Klaus Mann, Escape to Life, S. 98

35 Katia Mann, Kindertagebuch, nach Golo Mann, Erinnerungen I, S. 16
36 Erika Mann, Mein Vater, S. 15
37 Erika Mann, Mein Vater, S. 15
38 Katia Mann, Kindertagebuch nach Golo Mann, Erinnerungen I, S. 13
39 Katia Mann, Memoiren, S. 64
40 Tagebuch TM, 10.2.1920
41 Klaus Mann, Der Wendepunkt, S. 27
42 Klaus Mann, Der Wendepunkt, S. 25
43 Golo Mann, Erinnerungen I, S. 48
44 Monika Mann, Vergangenes und Gegenwärtiges, S. 47
45 TM, Über mich selbst, S. 207
46 TM an Erika, 6.6.1929, Briefe I, S. 293
47 Erika Mann, Mein Vater, S. 67
48 Tagebuch TM, 8.6.1919
49 von der Lühe, Erika Mann, S. 26
50 Klaus Mann, Der Wendepunkt, S. 26
51 Golo Mann, Erinnerungen I, S. 362
52 Tagebuch TM, 30.4.1919
53 Golo Mann/M. R.-R., S. 119
54 Golo Mann/M. R.-R., S. 77
55 Golo Mann/M. R.-R., S. 111
56 Golo Mann/M. R.-R., S. 98
57 Golo Mann, Erinnerungen I, S. 41
58 Tagebuch TM, 10.1.1919
59 Tagebuch TM, 2.3.1919
60 Tagebuch TM, 31.1.1919
61 Unordnung und frühes Leid, TM, Die Erzählungen, S. 758
62 Klaus Mann, Der Wendepunkt, S. 75
63 Golo Mann, Erinnerungen I, S. 48
64 EMB, The Years of My Life
65 Klaus Mann, Der Wendepunkt, S. 125
66 von der Lühe, Erika Mann, S. 28
67 Unordnung und frühes Leid, TM: Die Erzählungen, S. 748
68 Erika Mann, Stoffel
69 Harpprecht, S. 646
70 Tagebuch TM, 25.7.1938
71 EMB, Mit den Meeren leben, S. 17
72 Harpprecht, S. 658
73 Klaus Mann, Der Wendepunkt, S. 216
74 Naumann, S. 123
75 Katia Mann, Memoiren, S. 107
76 Wysling, S. 298 f.

II Jugend im Exil

1 Naumann, S. 223
2 Kurzke, S. 354
3 TM, Deutschland und die Demokratie, nach Kurzke, S. 355
4 TM, Sieg deutscher Besonnenheit, nach Kurzke, S. 357
5 nach Wißkirchen, Die Familie Mann, S. 75
6 Klaus Mann, Der Wendepunkt, S. 254
7 von der Lühe, Erika Mann, S. 88
8 von der Lühe, Erika Mann, S. 91
9 von der Lühe, Erika Mann, S. 92
10 Tagebuch Klaus Mann, 10.2.1933
11 Katia Mann, Memoiren, S. 109
12 Tagebuch TM, 18.3.1933
13 Tagebuch TM, 19.3.1933
14 Tagebuch TM, 20.3.1933
15 Golo Mann, Erinnerungen I, S. 513
16 Katia Mann, Memoiren, S. 110
17 Tagebuch TM, 17.4.1933
18 Tagebuch TM, 8.4.1933

19 EMB an Thomas und Katia Mann, Monacensia München
20 Kurzke, S. 392
21 Golo Mann, Erinnerungen II, S. 25
22 Tagebuch TM, 7.5.1933
23 Tagebuch TM, 25.5.1933
24 Harpprecht, S. 758
25 von der Lühe, Erika Mann, S. 104
26 Tagebuch TM, 16.6.1933
27 Tagebuch TM, 6.6.1933
28 Katia Mann, Memoiren, S. 115
29 Tagebuch TM, 24.9.1933
30 Tagebuch TM, 6.10.1933
31 Tagebuch TM, 14.3.1933
32 nach Naumann, S. 156
33 nach Naumann, S. 156
34 Tagebuch TM, 30.9.1933
35 nach Naumann, S. 160
36 Wysling, S. 326
37 von der Lühe, Erika Mann, S. 141
38 Tagebuch Klaus Mann, 15.1.1936
39 Tagebuch Klaus Mann, 28.8.1938
40 Tagebuch Klaus Mann, 15.1.1936
41 Klaus Mann, Der Wendepunkt, S. 239
42 Tagebuch TM, 27.1.1936
43 Kurzke, S. 412
44 Erika Mann an TM, 19.1.1936, in Erika Mann, Mein Vater, S. 91 ff.
45 Katia Mann an Erika Mann, 21.1.1936, in Erika Mann, Mein Vater, S. 96
46 TM an Erika Mann, 23.1.1936, in Erika Mann, Mein Vater, S. 101
47 Erika Mann an TM, 26.1.1936, in Erika Mann, Mein Vater, S. 107
48 Tagebuch TM, 11.9.1933
49 nach Kurzke, S. 414
50 von der Lühe, Erika Mann, S. 144
51 Tagebuch TM, 7.5.1935
52 Tagebuch TM, 18.3.1934
53 Tagebuch TM, 1.7.1934
54 Tagebuch TM, 24.3.1935
55 Tagebuch TM, 4.4.1935
56 Tagebuch TM, 8.6.1935
57 Klaus Mann, Der Wendepunkt, S. 307
58 Landshoff, Querido Verlag Amsterdam
59 Klaus Mann, Der Wendepunkt, S. 308
60 Tagebuch Klaus Mann, 28.3.1938
61 Tagebuch TM, 30.8.1935
62 Tagebuch Klaus Mann, 30.8.1935
63 Tagebuch TM, 25.12.1933
64 Tagebuch Klaus Mann, 22.7.1938
65 Tagebuch TM, 25.7.1938
66 Erika an TM und Katia Mann, 1.6.1938, in Erika Mann, Mein Vater, S. 127
67 Tagebuch Klaus Mann, 23.10.1938
68 Tagebuch TM, 23.10.1938, 24.10.1938
69 Tagebuch TM, 25.7.1938

III Ein Eheleben

1 EMB, Die Meer-Frau, S. 25
2 Tagebuch TM, 20.3.1938
3 Tagebuch TM, 30.9.1938
4 EMB, Die Meer-Frau, S. 24
5 Harpprecht, S. 1011
6 Wysling, S. 366
7 von der Lühe, Erika Mann, S. 169
8 Harpprecht, S. 988
9 Harpprecht, S. 1008
10 Tagebuch TM, 27.6.1938

11 Harpprecht, S. 1035
12 Tagebuch TM, 12.7.1938
13 Harpprecht, S. 986
14 Tagebuch TM, 28.12.1938
15 Tagebuch Klaus Mann, 2.4.1938
16 Tagebuch Klaus Mann, 25.4.1938
17 Erika und Klaus Mann, Escape to Life, S. 379
18 Tagebuch TM, 5.11.1938
19 Harpprecht, S. 1133
20 Tagebuch TM, 19.2.1939
21 Tagebuch TM, 28.2.1939
22 Tagebuch TM, 10.4.1939
23 Tagebuch TM, 24.4.1939
24 Giuseppe Antonio Borgese an TM, 2.6.1939, privat
25 TM an Giuseppe Antonio Borgese, 4.6.1939, privat
26 EMB an Giuseppe Antonio Borgese, 27.10.1939, privat
27 EMB an Giuseppe Antonio Borgese, undatiert, privat
28 Giuseppe Antonio Borgese an EMB, 22.6.1939, privat
29 EMB an Giuseppe Antonio Borgese, 4.10.1939, privat
30 EMB an Giuseppe Antonio Borgese, 7.7.1939, privat
31 EMB an Giuseppe Antonio Borgese, 14.11.1939, privat
32 Tagebuch TM, 24.11.1939
33 Klaus Mann, Der Wendepunkt, S. 392
34 Tagebuch TM, 23.11.1939
35 Erika Mann an TM, 26.11.1939, vgl. Erika Mann, Mein Vater, S. 141
36 Tagebuch Klaus Mann, 25.11.1939
37 Tagebuch TM, 27.12.1939
38 Tagebuch Klaus Mann, 25.12.1939
39 Giuseppe Antonio Borgese an EMB, 6.4.1942, privat
40 Tagebuch TM, 4.1.1943
41 Naumann, S. 254
42 Katia Mann an EMB, 29.7.1942, privat
43 Katia Mann an EMB, 5.5.1942, privat
44 Tagebuch TM, 16.4.1942
45 Katia Mann an EMB, 18.2.1942, privat
46 Katia Mann an EMB, 5.5.1942, privat
47 Widmung, Thomas-Mann-Archiv Zürich
48 EMB, The Years of My Life
49 EMB, Die Meer-Frau, S. 28
50 Giuseppe Antonio Borgese u. a., Ist eine Weltregierung möglich?, S. 59
51 Katia Mann, Memoiren, S. 139
52 Katia Mann, Memoiren, S. 142
53 Heinrich Mann, Ein Zeitalter wird besichtigt, S. 236
54 Kurzke, S. 445
55 Kurzke, S. 479
56 Tagebuch TM, 26.6.1942
57 Katia Mann, Memoiren, S. 143
58 Giuseppe Antonio Borgese an EMB, 21. Juli 1948, privat
59 Tagebuch TM, 8.10.1944
60 Tagebuch TM, 10.10.1944
61 Tagebuch TM, 30.6.1945
62 Tagebuch TM, 15.8.1949
63 Tagebuch TM, 30.12.1949
64 Tagebuch TM, 25.12.1949
65 Tagebuch TM, 7.7.1951
66 Wysling, S. 441
67 von der Lühe, Erika Mann, S. 277
68 von der Lühe, Erika Mann, S. 322
69 Golo Mann/M. R.-R., S. 183
70 Schaenzler, Klaus Mann, S. 391
71 EMB an Giuseppe Antonio Borgese, 12.7.1948, privat
72 EMB an Giuseppe Antonio Borgese, 16.7.1948, privat
73 Schaenzler, Klaus Mann, S. 401

74 Krüll, Im Netz der Zauberer, S. 402
75 Tagebuch Klaus Mann, 25.2.1937
76 Golo Mann/M. R.-R., S. 180
77 Strohmeyr, Klaus und Erika Mann, S. 167
78 Tagebuch TM, 12.6.1949
79 Tagebuch TM, 20.11.1950
80 Tagebuch TM, 26.11.1950
81 Tagebuch TM, 6.6.1952

IV »Der Aufstieg der Frau«

1 Tagebuch TM, 29.11.1952
2 Tagebuch TM, 4.12.1952
3 TM an Emil Preetorius, 7.12.1952, Briefe III, S. 279
4 Tagebuch TM, 9.12.1952
5 EMB, Die Meer-Frau, S. 44
6 EMB, Die Meer-Frau, S. 106
7 Wißkirchen, Die Familie Mann, S. 171
8 Tagebuch TM, 11.4.1954
9 Tagebuch TM, 28.3.1953
10 Wysling, S. 468
11 Wißkirchen, Die Familie Mann, S. 171
12 Harpprecht, S. 1901
13 von der Lühe, Erika Mann, S. 325
14 von der Lühe, Erika Mann, S. 339
15 Harpprecht, S. 1900
16 Reich-Ranicki, Thomas Mann und die Seinen, S. 183
17 Tagebuch TM, 16.8.1952
18 Tagebuch TM, 19.3.1953
19 Tagebuch TM, 5.3.1954
20 Tagebuch TM, 25.6.1955
21 Tagebuch TM, 29.7.1953
22 Tagebuch TM, 1.3.1954
23 Tagebuch TM, 28.3.1953
24 Tagebuch TM, 6.6.1954
25 Tagebuch TM, 18.7.1953
26 TM, Über mich selbst, S. 180 ff.
27 Golo Mann, Erinnerungen I, S. 62
28 Kurzke, S. 598
29 Wysling, S. 473 ff.
30 Katia Mann, Memoiren, S. 175
31 Tagebuch TM, 29.6.1919
32 Tagebuch TM, 24.7. 1919
33 Tagebuch TM, 17.11.1933
34 Tagebuch TM, 30.1.1938
35 Tagebuch TM, 17.10.1920
36 Tagebuch TM, 6.5.1934
37 Monika Mann, Vergangenes und Gegenwärtiges, S. 138
38 Monika Mann, Vergangenes und Gegenwärtiges, S. 126
39 Golo Mann/M. R.-R., S. 111
40 von der Lühe, Erika Mann, S. 340
41 Katia Mann, Memoiren S. 9
42 TM an Erika Mann, 3.2.1953, Briefe III, S. 287
43 EMB, Das andere Dehli, in: Der unsterbliche Fisch, S. 75
44 EMB, Das andere Dehli, in: Der unsterbliche Fisch, S. 79
45 EMB, Der unsterbliche Fisch, S. 7 f.
46 EMB, Die Probe, in: Der unsterbliche Fisch, S. 18
47 EMB, Mein Vater, der Zauberer – meine Liebe, das Meer. Interview Wolf Gaudlitz, Bayerischer Rundfunk, 13. und 27.10.1999
48 Interview Wolf Gaudlitz, vgl. Kap. 4, Fn. 47
49 EMB, Ascent of Woman, S. 221
50 EMB, Ascent of Woman, S. 221
51 EMB, Wie man mit den Menschen spricht, S. 83

V Botschafterin der Meere

1 Interview Wolf Gaudlitz, vgl. Kap. 4, Fn. 47
2 EMB, Mit den Meeren leben, S. 19
3 EMB, Mit den Meeren leben, S. 79
4 Tagebuch TM, 4.10.1951
5 Tonio Kröger, in: TM, Erzählungen, S. 373
6 EMB, Mit den Meeren leben, S. 22
7 EMB, The Years of My Life
8 EMB, The Years of My Life
9 EMB, The Years of My Life
10 EMB, Die Meer-Frau, S. 35
11 EMB, The Years of My Life
12 von der Lühe, Erika Mann, S. 355
13 von der Lühe, Erika Mann, S. 350
14 Anita Naef an EMB, 14.5.1969, privat
15 Reich-Ranicki, Thomas Mann und die Seinen, S. 189
16 EMB an Erika Mann, 16.3.1964, Monacensia München
17 EMB an Erika Mann, 18.4.1962, Monacensia München
18 EMB an Erika Mann, 10.8.1969, Monacensia München
19 Anita Naef an EMB, 14.5.1969, privat
20 Anita Naef an EMB, 14.5.1969, privat
21 von der Lühe, Erika Mann, S. 366
22 Katia Mann an EMB, 26.5.1968, privat
23 Katia Mann an EMB, 2.8.1974, privat
24 Katia Mann an EMB, 20.3.1976, privat
25 Katia Mann an EMB, 28.10.1967, privat
26 Katia Mann an EMB, undatiert, privat
27 Katia Mann an EMB, 6.6.1969, privat
28 Katia Mann an EMB, 4.12.1967, privat
29 Kurzke, S. 321
30 Hier v. a. Krüll, Im Netz der Zauberer, S. 440 ff.
31 Golo Mann, Erinnerungen I, S. 544
32 Katia Mann an EMB, 2.8.1974, privat
33 Katia Mann an EMB, 21.4.1968, privat
34 Katia Mann an EMB, 1.6.1969, privat
35 Kurzke, S. 317
36 Golo Mann an EMB, 14.7.1981, privat
37 Golo Mann an EMB, undatiert, privat
38 Kurzke, S. 317
39 Golo Mann an EMB, undatiert, privat
40 Golo Mann an EMB, undatiert, privat
41 Interview Monika Mann, Münchner Abendzeitung, 24.8.1979
42 EMB an Monika Mann, 25.1.1976, privat
43 EMB an Monika Mann, undatiert, privat
44 EMB, Die Meer-Frau, S. 74 f.
45 EMB, Die Meer-Frau, S. 88
46 Barbara Ungeheuer, Der Spiegel unserer Seele, Die Zeit, 11.12.1987
47 EMB, The Years of My Life

VI Die letzte Mann

1 Interview Wolf Gaudlitz, vgl. Kap. 4, Fn. 47
2 Interview Wolf Gaudlitz, vgl. Kap. 4, Fn. 47
3 EMB, Die Meer-Frau, S. 50
4 Golo Mann/M. R.-R., S. 112 f.
5 Interview Wolf Gaudlitz, vgl. Kap. 4, Fn. 47
6 Frank Schirrmacher, Eine Tochter Hannos, in: Frankfurter Allgemeine Zeitung, 28.8.1989
7 John Irving/Günter Grass: King of the Toy Merchants, in: Trying to save Piggy Sneed, Arcade Publishing, New York 1996
8 EMB, Wie Gottlieb Hauptmann die Todesstrafe abschaffte

Auswahlbibliographie

Veröffentlichungen von Elisabeth Mann Borgese

Elisabeth Mann Borgese: Ascent of Woman, London 1963

dies.: Wie man mit den Menschen spricht... Bern/München/Wien 1971

dies.: Das Drama der Meere, Frankfurt am Main 1977

dies.: Der unsterbliche Fisch. Erzählungen, Hürth bei Köln 1998

dies.: Mit den Meeren leben, Köln 1999

dies.: Wie Gottlieb Hauptmann die Todesstrafe abschaffte. Erzählungen, Hürth bei Köln 2001

dies.: Die Meer-Frau, hrsg. von Ingo Hermann, Göttingen 1993 [Die Meer-Frau]

dies.: Mein Vater, der Zauberer – meine Liebe, das Meer. Interview von Wolf Gaudlitz, Bayer. Rundfunk, 13. und 27.10.1999

dies.: The Years of My Life. Nexus-Lesung, University of Tilburg, Holland 1998

Quellen aus Archiven

Elisabeth Mann Borgese: Briefe. Monacensia München

dies.: Briefe. Thomas-Mann-Archiv, ETH Zürich

dies.: Korrespondenz mit Giuseppe Antonio Borgese, Korrespondenz mit Thomas und Katia Mann, sonst. Korrespondenz, Privatbesitz Elisabeth Mann Borgese

Sonstige Literatur

Giuseppe Antonio Borgese: Der Marsch des Fascismus, Amsterdam 1938

ders.: Common Cause, New York 1943

ders. u. a.: Ist eine Weltregierung möglich? Vorentwurf einer Weltverfassung Frankfurt am Main 1951

ders. u. a.: The City of Man. A Declaration on World Democracy, New York 1940

Klaus Harpprecht: Thomas Mann. Eine Biographie, Reinbek bei Hamburg 1995 [Harpprecht]

Marianne Krüll: Im Netz der Zauberer. Eine andere Geschichte der Familie Mann, Frankfurt am Main 1999

Hermann Kurzke: Thomas Mann. Das Leben als Kunstwerk. Eine Biographie, München 1999 [Kurzke]

Fritz H. Landshoff: Amsterdam, Keizersgracht 333, Querido Verlag. Erinnerungen eines Verlegers, hrsg. von Isolde Schlösser, Berlin/Weimar 1991

Irmela von der Lühe: Erika Mann. Eine Biographie, Frankfurt am Main 1999

Erika Mann/ Klaus Mann: Escape to Life. Deutsche Kultur im Exil, München 1991

dies.: Mein Vater, der Zauberer, hrsg. von Irmela von der Lühe und Uwe Naumann, Reinbek bei Hamburg 1996 [Mein Vater]

dies.: Stoffel fliegt übers Meer, München 1999

Golo Mann: Erinnerungen und Gedanken. Eine Jugend in Deutschland, Frankfurt am Main 1991 [Erinnerungen I]

ders.: Erinnerungen und Gedanken. Lehrjahre in Frankreich, Frankfurt am Main 1999 [Erinnerungen II]

ders./Marcel Reich-Ranicki: Enthusiasten der Literatur. Ein Briefwechsel. Aufsätze und Portraits, hrsg. von Volker Hage, Frankfurt am Main 2000 [Golo Mann/M. R.-R.]

Heinrich Mann: Ein Zeitalter wird besichtigt, Frankfurt am Main 1988

Katia Mann: Meine ungeschriebenen Memoiren, Frankfurt am Main 1995 [Memoiren]

Klaus Mann: Der Wendepunkt. Ein Lebensbericht, Reinbek bei Hamburg 1991

ders.: Tagebücher 1931–1949, Bd 1–6, Reinbek bei Hamburg 1995 [Tagebuch Klaus Mann]

Monika Mann: Vergangenes und Gegenwärtiges. Erinnerungen, München 1956

Thomas Mann: Die Erzählungen, Frankfurt am Main 1986

Thomas Mann: Tagebücher in 10 Bänden, Bd. 1–5 (1918–1943), hrsg. von Peter de Mendelssohn, Bd. 6–10 (1943–1955), hrsg. von Inge Jens, Frankfurt am Main 1977–1995 [Tagebuch TM]

Thomas Mann: Briefe I–III (1889–1955), hrsg. von Erika Mann,
Bd. I: Briefe I. 1889–1936, Frankfurt am Main 1961 [Briefe I]
Bd. II: Briefe II. 1937–1947, Frankfurt am Main 1963 [Briefe II]
Bd. III: Briefe III. 1948–1955 und Nachlese, Frankfurt am Main 1965 [Briefe III]

Thomas Mann: Über mich selbst. Autobiographische Schriften, Frankfurt am Main 1994 [Über mich selbst]

Uwe Naumann (Hrsg.): Ruhe gibt es nicht, bis zum Schluß. Klaus Mann (1906–1949). Bilder und Dokumente, Reinbek bei Hamburg 1999 [Naumann]

Marcel Reich-Ranicki: Thomas Mann und die Seinen, Frankfurt am Main 1992

Nicole Schaenzler: Klaus Mann. Eine Biographie, Frankfurt am Main/New York 1999

Armin Strohmeyr: Klaus und Erika Mann. Les enfants terribles, Berlin 2000

Hans Wißkirchen: Die Familie Mann. Reinbek bei Hamburg 1999

Hans Wysling/Yvonne Schmidlin (Hrsg.): Thomas Mann. Ein Leben in Bildern. Zürich 1994 [Wysling]

Namenregister

Danksagung

Die Frage, was für sie »Glück« bedeute, beantwortete Elisabeth Mann Borgese einmal mit den wenigen essentiellen Dingen, auf die es anzukommen scheint – und ergänzte sie dann darum, es sei auch Glück, einen Verleger für seine Bücher zu finden. Dem möchte ich mich anschließen und Alexander Fest danken, ebenso wie meiner Lektorin Ulrike Kloepfer.

Mein besonderer Dank gilt natürlich Elisabeth Mann Borgese, die mich mit großer Offenheit und herzlicher Gastfreundschaft in ihrem Haus aufgenommen hat. Für ihre Unterstützung zu danken habe ich auch Elisabeths Tochter Nica Borgese Guidi sowie Professor Rüdiger Wolfrum, Richter am Internationalen Seegerichtshof in Hamburg, weiter Nikolaus Gelpke, Chefredakteur des Magazins »Mare«, den Mitarbeitern der Institute Thomas-Mann-Archiv in Zürich und Monacensia München. Unermüdlich detektivisch und ermunternd half Dr. Dirk Heißerer, Vorsitzender des Thomas-Mann-Förderkreises München.

Mein Dank gebührt auch, wie so oft, Ingrid Böck. Und ich danke Tillmann Weber, ohne den, wie manch anderes, dieses Buch nicht entstanden wäre.

Bildnachweis

AKG: S. 94
Andreas Landshoff: S. 87
Bettmann/Corbis/Picture Press: S. 108
Elisabeth Mann Borgese: S. 50, 62, 98/99, 113,115, 138, 144, 148, 159, 165, 169, 174, 176, 179, 200, 208, 215, 219
Henri Cartier-Bresson/Magnum/Agentur Focus: S. 192
Monacensia: S. 15, 72, 188
Nachlaß Eric und Miriam Schaal/1998 Weidle Verlag: S. 126
NDR, Horst Königstein: S. 195
Peter Sibbald, 1996: S. 9, 205, 211
Thomas-Mann-Archiv, Zürich / Keystone: S. 13, 21, 26, 33, 39, 48, 56, 67, 87, 120, 132, 155, 185
Thomas-Mann-Förderkreis München e. V. / Sammlung Anita Naef: S. 79

Das Zitat aus Baudelaires »Die Blumen des Bösen« ist in der Übersetzung von Carlo Schmid wiedergegeben.